HEINRICH HUSSMANN
ÜBER DEUTSCHE WAPPENKUNST

HUSSMANN

HEINRICH

ÜBER
DEUTSCHE
WAPPENKUNST

AUFZEICHNUNGEN
AUS MEINEN
VORLESUNGEN

GUIDO PRESSLER VERLAG WIESBADEN

Papier: Büttenpapierfabrik Hahnemühle, Dassel
Schrift: Optima von Hermann Zapf
Fotosatz: Ulrich Dannert, Stuttgart und
Offizin Chr. Scheufele, Stuttgart
Offsetdruck: Offizin Chr. Scheufele, Stuttgart
Buchbindearbeit: Ernst Riethmüller, Stuttgart
Umschlagbild: Herold Anton Tirol.
Aus einem Wappenbuch um 1510
in der Bayerischen Staatsbibliothek München

VORWORT

Zu den wenigen heraldischen Künstlern unserer Zeit,
denen es gelungen ist, durch die reizvolle Darstellung
der Wappenkunst weite Kreise eines sonst für dieses
Gebiet kaum ansprechbaren Publikums zu begeistern,
gehört neben Otto Hupp auch Heinrich Hußmann.
Sein 1942 in einer Auflage von 64 000 Stück erschienenes
Bändchen »Deutsche Wappenkunst« (Insel-Verlag) hat
der Heraldik ebenso wie Hupps Ortswappenwerk zahl-
reiche neue Freunde zugeführt und ist in seiner künst-
lerisch graphischen Ausführung schon heute eine bi-
bliophile Kostbarkeit geworden. Nach Erscheinen dieses
Buches wurden Bedenken gegen einige eigenwillige Auf-
fassungen des Künstlers laut, die als solche für einen der
Heraldik Unkundigen nicht erkennbar waren. Daß es
dem Autor aber in erster Linie auf die WAPPENKUNST
und weniger auf die Theorie der WAPPENKUNDE an-
kommt, geht sowohl aus dem Inselbändchen von 1942
als auch aus seiner erweiterten Neubearbeitung hervor,
die uns Heinrich Hußmann als 72 jähriger nun vorlegt.
Wir begrüßen sie und hoffen, daß sie wiederum – wie
ihre Vorgängerin – dazu beitragen möge, der Wappenkunst in einem Zeitalter der Überbetonung materieller
Interessen die Herzen derjenigen zu gewinnen, die sich
den Blick für die unzerstörbaren Werte unseres Kultur-
lebens offen gehalten haben.

BERLIN 1972

Jürgen Arndt

VORSITZENDER
DES HEROLDS-AUSSCHUSSES
DER DEUTSCHEN WAPPENROLLE

ANGRIFF AUF EINE RÖMISCHE STADT / TRAJANSSÄULE / 98 - 170

DIE WAFFEN DER RÖMER zeigten besonderen, reichen Schmuck auf ihren Schilden, der wahrscheinlich die verschiedenen Legionen kennzeichnete. Daraus entstanden aber niemals Wappen.

DIE WAFFEN DER GERMANISCHEN VÖLKERGRUPPEN wurden wegen ihrer verschiedenen Schildfarben von Tacitus erwähnt. Auch Sidonius Apollinaris berichtet, daß die Germanen zur Unterscheidung der einzelnen Stämme verschiedenfarbige Schilde geführt haben. Hiervon lassen sich keine Wappen ableiten.

VORLÄUFER DER KRIEGSHERALDIK

VORHERALDISCHE ZEIT

WILHELM DER EROBERER
HEBT SEINEN HELM AUF
UND GIBT SICH SO SEINEN
MANNEN ZU ERKENNEN

Mit einem ausführlichen Kriegsbericht über die Schlacht bei Hastings 1066 schildert der Teppich von Bayeux (1080) den Siegeszug Wilhelms des Er- oberers gegen die britische In- sel und zeigt darauf Krieger mit Schutzschilden, die kriegstech- nisch notwendige Erkennungs- zeichen der Truppenformation tragen. Diese Schildbemalungen waren nur militärische Kennzei- chen, noch ohne Wappenbe- deutung.

um 1196

DIE HEERESFAHNE ZEIGT EIN KREUZ. KAISER HEINRICH VI.
FÜHRT DEN ADLER IM SCHILD, AUF KRONENFÖRMIGEM
HELM UND AUF DER PFERDEDECKE. DIE KRIEGER SIND
AUF SCHILD UND HELM MIT DEM ABTEILUNGSZEICHEN
GEKENNZEICHNET.

KRIEGSHERALDIK

Frühe Heeresgruppen mit geschlossener Rüstung schmückten ihre Schutzwaffen mit Volkssymbolen, Herrschafts- und Landeszeichen, um durch Farben und Figuren im Kampf Freund und Feind erkennen zu können. Diese so gekennzeichneten Waffen sind als Vorläufer der Wappen anzusehen. Im 12. Jahrhundert entwickelte sich aus der Notwendigkeit, Heerzeichen zu führen, der wappenmäßige Schmuck und damit das Wappenwesen.

TURNIERHERALDIK
bis Mitte 16. Jahrhundert

TURNIER MIT TOPFHELM

LANZEN- ODER STECHTURNIER
Die mittelalterlichen Turnierritter waren bei ihren Schau-kämpfen = Turnieren durch Rüstung und geschlossenen Helm nicht zu erkennen. Darum kennzeichneten und schmückten sie ihr Rüstzeug, besonders den Schild und Helm, mit ihrer ihnen eigenen Schildfigur, ihrer Helmzier und farbigen Helmdecke, aber auch Rock und Pferde-decke schmückten sie mit ihren Wappen und Farben.

DIE GESCHMÜCKTEN SCHUTZWAFFEN ALS WAPPEN

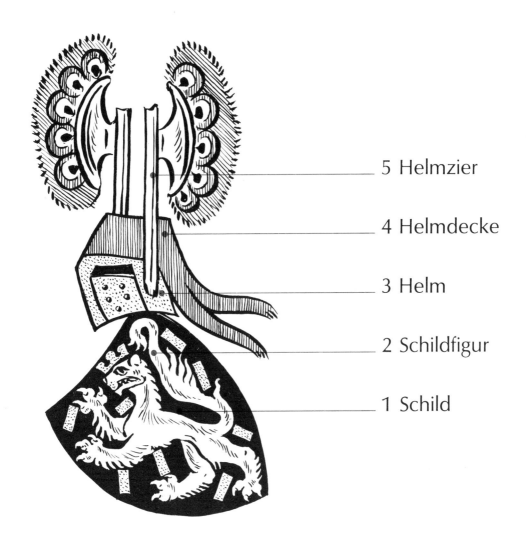

5 Helmzier

4 Helmdecke

3 Helm

2 Schildfigur

1 Schild

„Wappen heißt Waffen", sich wappnen.

Die geschmückten Schutzwaffen, Schild mit Schildfigur, Helm mit Helmzier und Helmdecke, zum Wappen zusammengestellt und im zivilen Gebrauch, bei friedlichen Handhabungen verwendet, wurden in den Größenverhältnissen der getragenen Waffen gezeigt. Das Wappen wurde zum Symbol einer Person oder Familie. Schon der Schild allein, mit Farben und Figur, ergeben ein Wappen. Ein Symbol allein ohne Schildumrand ist kein Wappen.

SCHWERTTURNIER

TURNIERHERALDIK

TURNIER MIT BÜGELHELM

Turniere waren ritterliche Kampfspiele, mit ihnen kam der phantasiereiche Waffenschmuck auf.

Davon abgeleitet entstanden die erblichen Wappen, die in Form der Wappensiegel, in heraldischen Malereien oder plastischen Darstellungen Person oder Besitz kennzeichneten.

Stech- oder Lanzenturniere: Mit dem Stechhelm und Schild gerüstet, rammte der Ritter im Galopp seinen Gegner mit der Lanze, um ihn aus den Sattel zu heben.

Schwert- oder Kolbenturniere: Der Ritter saß auf hohem Sattelgestell. Mit Bügel- oder Rosthelm geschützt, aber ohne Schutzschild ausgerüstet, schlugen sich die Turnierreiter mit kurzen Schwertern oder Kolben gegenseitig die Helmzier vom Helm.

In Turnieren kämpften Einzelkämpfer oder Reiterscharen.

12

DIE HEROLDE UND DIE TURNIERE.

„Die Knappen von den Wappen" waren Ende des 13. Jahrhunderts die Betreuer der Turniere und des Wappenwesens.
Mitte des 14. Jahrhunderts waren Herolde die Turnierordner und Sendboten der Fürsten in Krieg und Frieden.
Bei den Turnieren prüften sie den Wappenschmuck, die Waffen und die Turnierfähigkeit der Ritter. Das gesamte Wappenwesen lag in ihren Händen. Sie führten ihre eigenen heraldischen Regeln, die zuerst mündlich überliefert, und bei den Deutschen erst Ende des 14. Jahrhunderts niedergeschrieben wurden.

Das Wort Heraldik leitet sich vom Wort Herold ab.

HERALDIK UMFASST:

1.) Wappenkunst – das Gestalten der Wappen
2.) Wappenkunde – die Kenntnis vom Wappenwesen.
3.) Wappenrecht – die Rechtsgrundlage der Wappenführung.

RITTER BEIM KOLBENTURNIER

Letzte Turniere um 1555

13

Within the illustration:

i sölicher gestalt schawt man dy
helm vnd welcher nit genoß ist
den haist man ein Klauer
abtragem do ... mit
er nit geschmä
tbet werdet

KNAPPEN BRINGEN DIE HELME

HEROLDE PRÜFEN MIT DER HELMSCHAU
DIE TURNIERFÄHIGKEIT DER KÄMPFER

HELMSCHAU (Ende 15. Jh.). Der kleine Schild am Helmhals kennzeichnete den dazugehörigen Schild. Schildinhalt und Helmzier deuten auf Herkunft und Person.

14

DER HEROLD UND
DIE ALTEN WAPPENBÜCHER

HEROLD
HANS BURGGRAF
IN AMTSTRACHT
MIT WAPPENROCK
MITTE
15. JAHRHUNDERT

Von den Herolden wurden die Turnierbücher und viele
Wappenrollen und Wappenhandschriften angelegt. Damit wurden uns die Kunstformen, die Zeitstile sowie die
Regeln der Wappenkunst und -sprache überliefert.
So blieben uns nicht nur die geführten Wappen und die
Namen der Wappenträger erhalten, sondern durch Wappenbeschreibungen ohne Abbild auch die Wappen und
Namen wappenführender Personen und Geschlechter.

15

WAPPEN ALS FAMILIENZEICHEN DES ADELS

NACH EWALD

Reiter-
siegel

Rund-
siegel
mit
freischwe-
bendem
Adler

1185

1182
- 1207

Siegel   1326
mit Vollwappen

Siegel mit   1336
Ehewappen

1231

Schild-
siegel

Die weltlichen und geistlichen Fürsten des Mittelalters
siegelten, um Rechtsgeschäfte zu bekräftigen, mit ihrem
Bildnis- oder Reitersiegel. Mit der Verwendung des Wappens im Siegel wurde die Personendarstellung im Siegel
verdrängt (927 ältestes weltliches Siegel). Mit dem Besitz
ging auch das Wappen an die leiblichen Erben über.
1131 wurde die erste Wappenverwendung im Siegel erwähnt. Im 12. Jahrhundert haben Fürsten und Adel an-
fangs mit ihren Reitersiegeln die Schutzwaffen, Schild und
Helm mit Schildbild und Helmfigur gekennzeichnet.
Danach kamen die Schildsiegel, Helmsiegel, Wappensiegel und Siegel mit dem Vollwappen in Gebrauch. Auch
Besitz, Gebäude, Grabsteine, Möbel, Hausgerät, Malerei-
en u.s.w. wurden mit dem Wappen gekennzeichnet.

16

WAPPEN ALS FAMILIENZEICHEN DES BÜRGERS

Kölner
Patrizier
1291

Kölner
Patriziersiegel
mit Hausmarke
im Gegensiegel als zweites Siegel
auf der Rückseite des Hauptsiegels.

1299

Stolzhirsch
zu Augsburg
1264

Schongauer
zu Augsburg
1270

1272
Artmannus Monacus
zu Lübeck

BÜRGERLICHE HERALDIK

Ursprünglich siegelte nur der **Adel**. Mit der Ausbreitung des Siegelwesens im 13. Jahrhundert ergab sich die Notwendigkeit, daß in den Städten die höhergestellten **Bürger-Patrizier** und die **niederen Bürger** siegeln mußten.

Für die Bürgersiegel setzte der Siegelstecher die Hausmarke oder das Haussymbol, wie bei den Wappensiegeln des Adels, in ein Wappen.
Im 13. Jahrhundert führten auch die adligen Frauen, Geistliche, Handwerker, Zünfte und Städte ihr Wappen.
Im 14. Jahrhundert zeigten bereits die Bauern Wappen.

STADTSIEGEL- UND WAPPEN-ENTWICKLUNG

Signum Köln (römisch, 50 n.d.Z.) COLONIA CLADIA ARA AGRIPPINENSIUM = C.C.A.A.

(BEISPIELE)

Romanisches **PETRUSSIEGEL**
1149 ältester datierter
Siegelabdruck, Ø 105 mm.
Ab 1268 gotisches
PETRUSSIEGEL, Ø 110 mm.
Kleines gotisches
PETRUSSIEGEL, Ø 55 mm,
noch heute im Gebrauch.
DIENSTSIEGEL als Stempel
seit dem 14. Jahrhundert.
KÖLNER SCHILDWAPPEN
älteste Datierung um 1305.
Schild geteilt, in Rot drei gol-
dene Kronen (Symbol: Heilige
Drei Könige), unten weiß.
Um 1475 **DOPPELKÖPFIGER
REICHSADLER** mit Kölner
Wappen im Brustschild.
1897 führt Köln amtlich den
KÖLNER DOPPELADLER
mit Brustschild, Nimben und
Krone, Zepter und Schwert.

um 639
ST. PETRUS
ALS SCHUTZPATRON
VON KÖLN erwähnt.
AMTSSTEMPEL ▶
ALS SIEGEL
unserer Zeit

SIEGEL DER STADT KÖLN

000

CA.
1305 - 10
IM DOM-
FENSTER

VOLLWAPPEN
MIT STECHHELM
1. HÄLFTE
15. JAHRHUNDERT

SEIT 1897
AMTLICHES
HOHEITSZEICHEN

1520   1527   1480

die stat von koln ist am bur

Die **KÖLNER FAHNE** hat die Wappenfarben rot-weiß geteilt.
Köln zeigt gern das **VOLLWAPPEN**:
Schild geteilt in R. 3 g. Kronen in W. 11
Flämmchen, 5 : 4 : 2. Stechhelm mit
Bauernhut, außen Hermelin darauf
Schirmbrett mit 11 Pfauenfederspiegeln
besteckt, in R. 3 g. Kronen.
Das **SCHILDWAPPEN** mit
3 Kronen und 11 Flammen
ist für nicht amtliche, allge-
meine Zwecke bestimmt.
1811 verlieh Napoleon der
Stadt Köln ein Stadtwappen
    mit 3 Bienen und dem Rechen
           des Franken-
           Wappens.

KRONENSCHILD
MIT SCHILDHALTER

1811

17. JAHR-
HUNDERT
MIT SCHILD-
HALTER

DIE
SCHRAFFUR
(BLAU) IST
FALSCH

1645 MIT BÜGELHELM

19

WAPPEN DES STAATES.

Der Adler war schon in der Antike Zeichen kaiserlicher Macht. Um 800 führte Karl der Große den Adler als kaiserliches Wahrzeichen.

KAISER
HEINRICH VI.
† 1197

Vorheraldisch
5. Jahrhundert
ostgotische
Adlerfibel

1848

Im 12. Jahrhundert wurde der Adler zum Symbol des Reiches.

Im 14. Jahrhundert trat der Doppeladler als Reichssymbol auf. 1846 wird der Doppeladler Hoheitszeichen des Deutschen Bundes.

DER ADLER ALS HOHEITSZEICHEN DES STAATES

Ab 1871 kam wieder der einköpfige Adler des letzten Kaiserreiches als „REICHSADLER" auf, aber mit der alten Kaiserkrone geschmückt und mit einem Brustschild belegt, das den mit dem Hohenzollern-Schild belegten Preußischen Adler zeigt und mit der Kette des Schwarzen Adlerordens umlegt wurde. Die Flagge zeigte schwarz, weiß, rot.

1919 löste den gekrönten Adler des Kaiserreiches

1919

der schlichte einköpfige „BUNDESADLER" der Bundesrepublik Deutschland ab. Die Flagge wurde schwarz, rot, gold geführt.

21

DER ADELSBRIEF MIT DEM ADELSWAPPEN
UND DER WAPPENBRIEF FÜR DEN BÜRGER

Die Erhebung in den Adelsstand durch die Landesfürsten kam Mitte des 14. Jahrhunderts auf. Das Adelswappen wurde mit dem Adelsbrief beurkundet. Letzte Verleihung 1918. Für das Adelswappen wurde das vorhandene Familienwappen durch Zutaten aufgebessert, oder es wurde ein neues Adelswappen angefertigt und verliehen.
Das sind die **Wappen des BRIEFADELS.**
Das Adelsprädikat „von" kam im 14. Jahrhundert auf und wurde zum allgemeinen Attribut des adligen Namens.

**BRIEFHERALDIK =
KANZLEIHERALDIK**
seit dem
15. Jahrhundert

Wappenbrief
mit Wappenabbild
und Bestätigung
zur Führungs-
berechtigung

Mitte des 14. Jahrhunderts wurden durch die Landesfürsten oder ihre Amtsträger auch schon geführte alte Bürgerwappen oder neu geschaffene Wappen mit einem Wappenbrief beurkundet. Damit waren weder besondere Rechte noch eine Standeserhebung verbunden.
Gleichzeitig wurden und werden bis in unsere Zeit hinein von den Bürgern und Bauern ohne Wappenbriefe neue Wappen frei angenommen und gleichberechtigt geführt.

DIE WAPPENSTILFORMEN

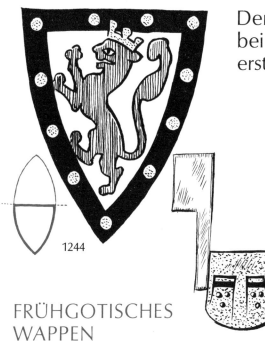

Der Helm mit der Helmzier trat bei Darstellungen von Wappen erst im 13. Jahrhundert zum Schild.

1244

FRÜHGOTISCHES
WAPPEN

+ 1220

Ende des 13. Jahrhunderts wurden Schild und Topfhelm zum Teil getrennt gezeigt oder zum Wappen zusammengestellt.

Anfang des 14. Jahrhunderts wurde der Schild rundspitz, der Topfhelm zeigte meist noch kurze Helmdecke und noch keine Helmkrone.

FRÜHGOTISCHES
WAPPEN

23

DIE WAPPENSTILFORMEN

Mitte des 14. Jahrhunderts
wurde neben Silber und
Gold und den Farben Rot,
Blau und Schwarz auch
Pelzwerk verwendet.
Der Schild war meist gerade
und unten spitz. Der Stechhelm
(für Lanzenturniere) hatte eine
kurze Helmdecke oder ein flatterndes Tuch, vereinzelt traten
Helmkronen auf.

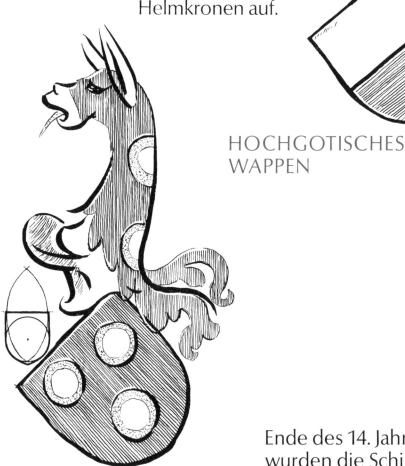

HOCHGOTISCHES
WAPPEN

HOCHGOTISCHES
WAPPEN

Ende des 14. Jahrhunderts
wurden die Schilde rund
oder spitz, die Helmdecken
länger und gezaddelt
dargestellt.

24

Mitte des 15. Jahrhunderts trat bereits der Tartschenschild auf und beeinflußte die Wappenschildformen. Die Helmdecken wurden üppiger und zeigten, stilisiert, pflanzliche Formen.

HOCHGOTISCHES WAPPEN

Ende des 15. Jahrhunderts kam mit den Kolben- und Schwertturnieren der Bügelhelm in Gebrauch.

SPÄTGOTISCHES WAPPEN

FRÜHRENAISSANCE-WAPPEN

Anfang des 16. Jahrhunderts wurden die Helmdecken prächtiger und überwucherten das Wappen als ornamentales Füllwerk.
Die leeren farbigen Schildflächen wurden durch Damaszierung mit schmückendem Ornamentwerk bereichert.

26

RENAISSANCE - WAPPEN

Mitte des 16. Jahrhunderts hatte der Schild oft eingerollte
Schildränder in Kartuschenform.
Die Helmdecken wurden üppiger und glichen oft kost-
baren perückenartigen Frisuren.

DIE WAPPENSTILFORMEN

Mitte des 17. Jahrhunderts verdrängten unheraldische Ornamente im Zeitstil am Schildrand Helm, Helmzier und Helmdecke. Allgemein wurden noch symmetrisch angeordnete Kartuschen - Ornamente verwendet.

BAROCK - WAPPEN

Mitte des 18. Jahrhunderts wurden die Kartuschen verspielt und asymmetrisch gezeigt und mit bizarrem Ornamentwerk reich ausgestattet. Neben diesen Schildwappen wurden gleichzeitig die unornamentierten Vollwappen mit Schild, Helm, Helmfigur und Helmdecke geführt, die aber auch den Zeitstil erkennen ließen.

ROKOKO - WAPPEN

28

DIE WAPPENSTILFORMEN

Anfang des 19. Jahrhunderts Ende der Wappenstilformen, die Wappen zeigten noch unheraldisches Beiwerk.

Um eine Formwandlung mit den Stilentwicklungen zeigen zu können, wurden hierfür Wappen gewählt, die für ihre Zeit typisch sind. In Wirklichkeit überschneiden sich die Wappenstilformen in den Jahrhunderten.

EMPIRE - WAPPEN

WAPPEN DES 20. JAHRHUNDERTS

Beim Aufreißen historischer, überlieferter oder neuer Wappen wird heute allgemein auf die Wappenformen des 14. und 15. Jahrhunderts zurückgegriffen.

NACH HUPP

29

Der Wappeninhalt:
Wappenfarben, Schildbild und Helmfigur werden wie
der Familienname
von den Nachkommen
unverändert
weitergeführt.
Die Wappenteile:
Schild, Helm und
Helmdecke
wandeln sich mit
den Stilformen.

EINEM
RUNDSIEGEL
MIT WAPPENSCHILD
ENTNOMMEN
1200

NACH EINER
NACHZEICHNUNG
DES SIEGELS VON
1403

DARSTELLUNG
AUS DEM
WAPPENBUCH
VON DEN ERSTEN
ENDE 14. Jh.

1270

NACH EINEM
HOLZSCHNITT
AUS DEM BUCH
VON FAHNE
1848

AUF
EINER
AHNEN-
TAFEL,
GEMALT
1736

30

Die Wandlung der Stilform hängt nicht nur vom jeweiligen Zeitstil ab, sondern im Wesentlichen auch von der heraldischen Kenntnis, der Phantasie, der künstlerischen Begabung und dem zeichnerischen Können des Wappenmalers.

AUS DER AUFSCHWÖRUNGS-TAFEL VOM STIFT ST. MARIA IM KAPITOL, 1736 GEMALT

Unheraldische Wappen entstanden durch Verlassen der heraldischen Regeln und durch zeichnerisches Unvermögen. Dieses führte zum Verfall der Wappenkunst.

Von Stahl

AUS DEM JÜLICHER WAPPENBUCH ENDE 19. JH.

AUS DEM WAPPENBUCH SIEBMACHER 1605

NACHBILDUNG NACH HISTORISCHEM VORBILD VON FAHNE, GESCHICHTE DER KÖLNISCHEN, JÜLICHER UND BERGISCHEN GESCHLECHTER.

31

DAS WAPPEN UND DIE GRÖSSENVERHÄLTNISSE DER WAPPENTEILE und die Folge, sie anzusprechen.

Die Größenverhältnisse der einzelnen Wappenteile sollten stets den Größenverhältnissen der von den Rittern im Kampf getragenen geschmückten Waffen entsprechen.

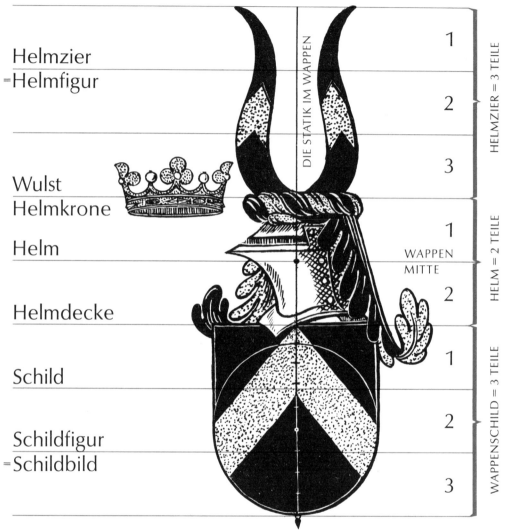

Helmzier =Helmfigur		1
	DIE STATIK IM WAPPEN	2
		3
Wulst Helmkrone		
Helm	WAPPEN MITTE	1
Helmdecke		2
Schild		1
		2
Schildfigur =Schildbild		3

HELMZIER = 3 TEILE
HELM = 2 TEILE
WAPPENSCHILD = 3 TEILE

DER WAPPENINHALT: Wappenfarben sowie Wappenfiguren = Schildfigur und Helmzier bleiben beständig.
DIE WAPPENFORM: Schild und Helm mit Helmdecke wandeln sich im Zeitstil.
Neu entworfene Wappen sollten in der Form zeitgemäß schlicht, im Inhalt einfach und einmalig sein, damit der Wappeninhalt keinem schon geführten Wappen gleicht.

32

DIE HAUPTTEILE DES WAPPENS SIND:

- **DIE WAPPENFARBEN:** Ein Wappen soll mindestens zwei Farben zeigen: ein Metall = Gold oder Silber und eine Farbe = Rot, Blau, Schwarz, Grün oder Purpur.
- **DER SCHILD**, gerade oder schräggestellt, kennzeichnet mit dem Schildbild die Familie oder Sippe.

- **DIE SCHILDFIGUR:**
  a) Heroldsbilder, das sind Schildteilungen in Metall und Farbe.
  b) Gemeine Figuren, das sind künstliche und natürliche Figuren, sie stehen frei im Schild.
- **DER HELM** sitzt fest auf dem Schild. Für Bürgerwappen sollte nur der Stechhelm verwendet werden.
- **DIE HELMDECKE** zeigt in der Regel die Hauptfarben des Wappens (Metall und Farbe).
- **DIE HELMKRONE UND DER WULST:**
  a) Laubkronen sollten nur bei Adelswappen verwendet werden.
  Eine Laubkrone bei einem Bürgerwappen sollte historisch überliefert und urkundlich belegt sein.
  b) Der Wulst ist für alle Wappen möglich. Er ist heraldisch ohne Bedeutung und verdeckt nur schlechte Übergänge von Helmzier zur Helmdecke.
- **DIE HELMZIER** darf nie über dem Helm schweben, sie muß mit dem Helm immer fest verbunden sein.

33

METALLE UND FARBEN, auch Tinkturen genannt, sowie die seit 1700 gültigen Schraffierungen zur Farbendarstellung von Wappen als Schwarzweißzeichnungen.

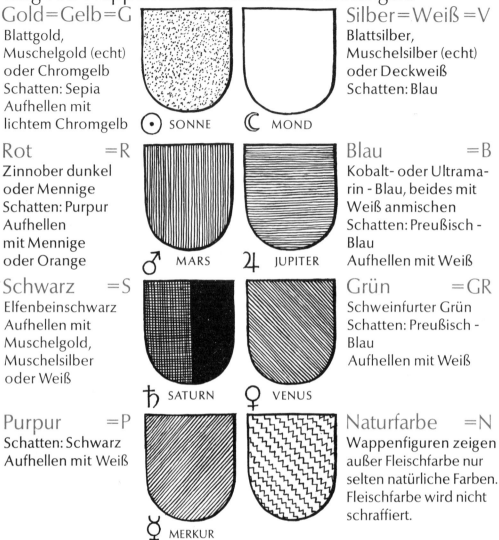

Gold=Gelb=G
Blattgold,
Muschelgold (echt)
oder Chromgelb
Schatten: Sepia
Aufhellen mit
lichtem Chromgelb

⊙ SONNE

Silber=Weiß =V
Blattsilber,
Muschelsilber (echt)
oder Deckweiß
Schatten: Blau

☾ MOND

Rot   =R
Zinnober dunkel
oder Mennige
Schatten: Purpur
Aufhellen
mit Mennige
oder Orange

♂ MARS

Blau   =B
Kobalt- oder Ultramarin - Blau, beides mit
Weiß anmischen
Schatten: Preußisch -
Blau
Aufhellen mit Weiß

♃ JUPITER

Schwarz   =S
Elfenbeinschwarz
Aufhellen mit
Muschelgold,
Muschelsilber
oder Weiß

♄ SATURN

Grün   =GR
Schweinfurter Grün
Schatten: Preußisch -
Blau
Aufhellen mit Weiß

♀ VENUS

Purpur   =P
Schatten: Schwarz
Aufhellen mit Weiß

☿ MERKUR

Naturfarbe =N
Wappenfiguren zeigen
außer Fleischfarbe nur
selten natürliche Farben.
Fleischfarbe wird nicht
schraffiert.

In der Wappenmalerei soll immer Farbe auf Metall oder Metall auf Farbe, niemals Farbe auf Farbe oder Metall auf Metall verwendet werden, um guten Farbkontrast und die notwendige Fernwirkung bei Wappen zu erreichen.

FALSCH

RICHTIG

PELZWERK UND DAMASZIERUNGEN.

Zum Pelzwerk gehören Hermelin, Feh und Kürsch. Es wird entweder natürlich oder mit hierfür gültigen Heroldsbildern gezeigt.

Hermelin
natürlich
dargestellt

Gegenhermelin
stilisiert
dargestellt

Kürsch
(= Feh-Wamme)
zeigt die Fellstücke
natürlich dargestellt

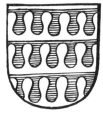

Wolkenfeh,
Feh wird heraldisch
allgemein
blau und weiß
dargestellt

Wolken-
gegenfeh

Sturzkrückenfeh

Eisenhutfeh
in der Form
des Eisen-
hutes
dargestellt

Gegenfeh

BEDEUTUNG DER FARBEN

- Farbsymbolik ist bei historischen Beschreibungen von Wappen zu finden, ist aber unheraldisch und gehört nicht zur Wappenbeschreibung.

Rauten-Damast

Ranken-Damast

Damaszierung
tritt im 15. Jahr-
hundert auf

Damaszierungen
sind Flächen fül-
lende Muster
ohne Bedeutung

DER SCHILD UND SEINE FORMWANDLUNG

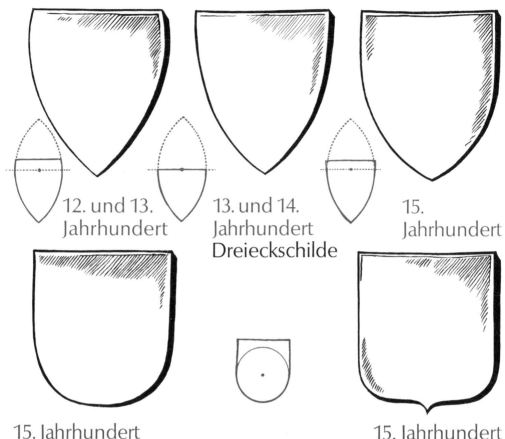

12. und 13.
Jahrhundert

13. und 14.
Jahrhundert
Dreieckschilde

15.
Jahrhundert

15. Jahrhundert
halbrunder Schild

15. Jahrhundert
französischer Einfluß

Zweite Hälfte
des 15. Jahrhunderts
Die Tartsche mit Einschnitt
für die Lanze (die Ruhe) wurde
das Vorbild für die Tartschen-
zierformen bei Wappenschilden

DER SCHILD UND SEINE FORMWANDLUNG

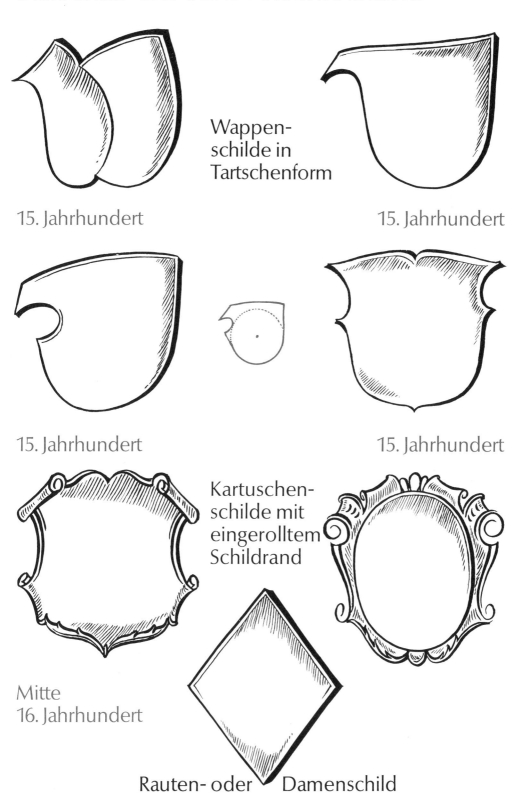

Wappen-
schilde in
Tartschenform

15. Jahrhundert

15. Jahrhundert

15. Jahrhundert

15. Jahrhundert

Kartuschen-
schilde mit
eingerolltem
Schildrand

Mitte
16. Jahrhundert

Rauten- oder Damenschild

HEROLDSBILDER = HEROLDSSTÜCKE sind Schild-
teilungen in Metall und Farbe

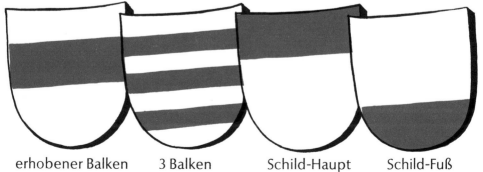

gespalten   Pfahl   Stab   3 ×
gespalten überdeckt
durch Schrägbalken

5- oder mehrfach   3 Pfähle   rechte Flanke   Schildhaupt-
gespalten   pfahl

geteilt   Balken   Leiste   von Schwarz, Silber
und Rot geteilt

erhobener Balken   3 Balken   Schild-Haupt   Schild-Fuß

HEROLDSBILDER werden ausführlich in der „Heraldischen Terminologie" von M. GRITZNER aufgeführt.

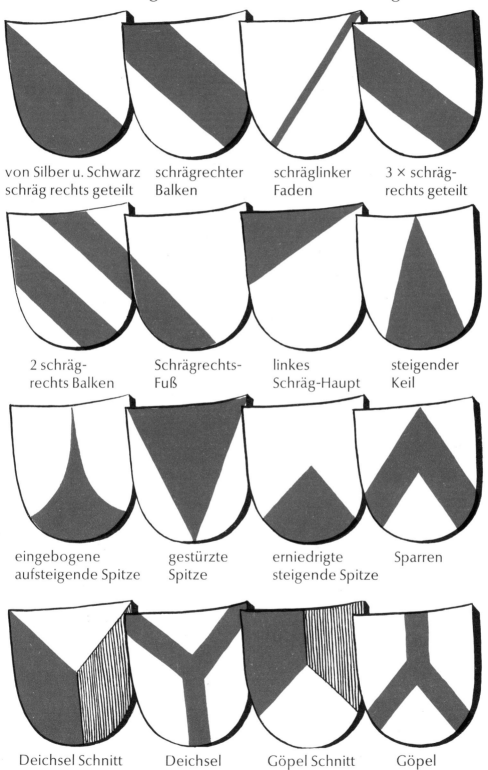

von Silber u. Schwarz
schräg rechts geteilt

schrägrechter
Balken

schräglinker
Faden

3 × schräg-
rechts geteilt

2 schräg-
rechts Balken

Schrägrechts-
Fuß

linkes
Schräg-Haupt

steigender
Keil

eingebogene
aufsteigende Spitze

gestürzte
Spitze

erniedrigte
steigende Spitze

Sparren

Deichsel Schnitt

Deichsel

Göpel Schnitt

Göpel

HEROLDSBILDER. Durch Schildteilungen in Metalle und Farben bilden sich die Farbenplätze.

rechtes
Obereck

das Ort

halbgespalten
und geteilt

halbgeteilt
und gespalten

gespalten
und 2 × geteilt

9 fach
geschacht

42 fach
geschacht

geviert

schräggewürfelt

gerautet

mit Spaltung
schräglinks geweckt

gespickelt

schräggeviert

Winkelschildhaupt

Ständer

geständert

HEROLDSBILDER sind geometrische Figuren. Es gibt unzählige Teilungsmöglichkeiten und Abwandlungen.

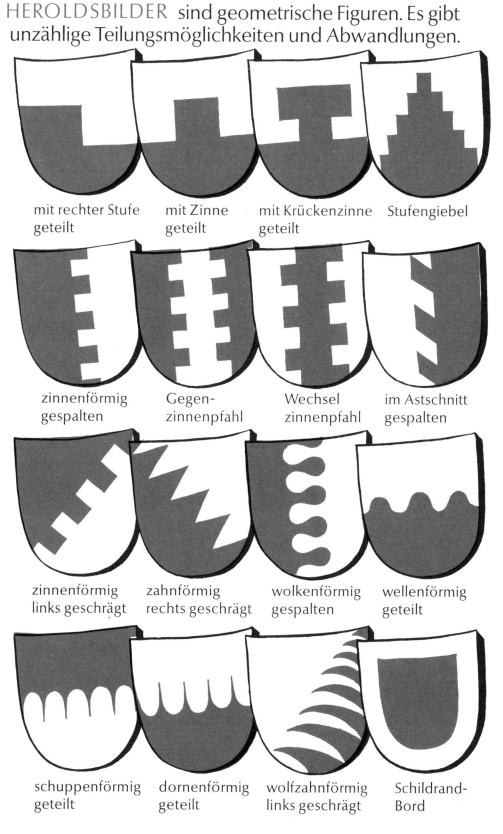

mit rechter Stufe geteilt

mit Zinne geteilt

mit Krückenzinne geteilt

Stufengiebel

zinnenförmig gespalten

Gegenzinnenpfahl

Wechsel zinnenpfahl

im Astschnitt gespalten

zinnenförmig links geschrägt

zahnförmig rechts geschrägt

wolkenförmig gespalten

wellenförmig geteilt

schuppenförmig geteilt

dornenförmig geteilt

wolfzahnförmig links geschrägt

SchildrandBord

41

KREUZE ALS HEROLDSBILDER teilen den Schild und berühren den Schildrand.

geviertes Kreuz	geständertes Kreuz	facettiertes Kreuz	gestücktes Kreuz
Tatzen-Kreuz	Ständer-Kreuz	Krucken-Kreuz	Halbkrucken-Kreuz
gekerbtes Kreuz	Malteser-Kreuz	Faden-Kreuz	Schräg-Kreuz
Ast-Kreuz	einfaches Kreuz	Kugel-Kreuz	Rauten-Kreuz

KREUZE ALS GEMEINE FIGUREN stehen frei im Schild und berühren nicht den Schildrand.

schwebendes Kreuz	Petrus-Kreuz	fußgesparr-tes Kreuz	Doppelkreuz
russisches Kreuz	Antonius-Kreuz	endgespitztes Schächerkreuz	gekerbtes Fußspitz-Tatzen-Kreuz
Hoch-Kreuz	Wieder-Kreuz	Sternen-besetz-tes Kreuz	Winkelmaß-Kreuz
Rad-Kreuz	Kleeblatt-Kreuz	Anker-Kreuz	Lilien-Kreuz

GEMEINE FIGUREN müssen allgemein groß und frei im Schild stehen und Metall gegen Farbe oder Farbe gegen Metall zeigen.

BERUFLICHE FIGUREN
(BEISPIELE)

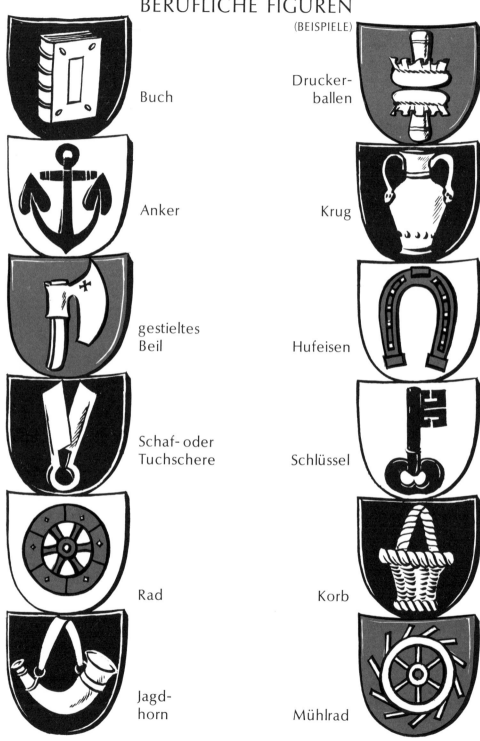

Buch

Drucker-ballen

Anker

Krug

gestieltes Beil

Hufeisen

Schaf- oder Tuchschere

Schlüssel

Rad

Korb

Jagd-horn

Mühlrad

GEMEINE FIGUREN werden natürlich und heraldisch vereinfacht, aber nicht als naturalistisches Abbild dargestellt. Perspektive ist zu vermeiden.

BERUFLICHE FIGUREN

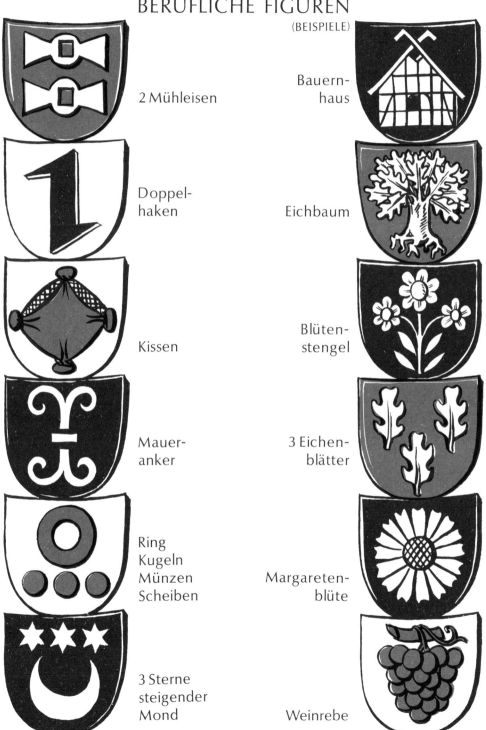

2 Mühleisen

Bauern-haus

Doppel-haken

Eichbaum

Kissen

Blüten-stengel

Mauer-anker

3 Eichen-blätter

Ring
Kugeln
Münzen
Scheiben

Margareten-blüte

3 Sterne
steigender
Mond

Weinrebe

GEMEINE FIGUREN. Natürliche Figuren und Figurenteile, stehen frei im Schildraum oder sie kommen aus dem Schildrand.

ganze Figur   Männerrumpf   erhobener Arm (Figurenteile)   wilder Mann (symbolische Figur)

2 Fische abgewendet   Hirschkäfer   Rabe   steigender Hirsch

steigender Löwe   herschauender Löwe · Leopard   Form des Panthers im 15. Jh.   Greif (Fabelwesen)

Adler   Doppeladler   Jungfrauadler   Drache

46

GEMEINE FIGUREN. Beschreibungen der Wappenbilder unterliegen der eigenen Sprache der Wappenkunst.

stehender Steinbock	schreitendes Einhorn	springendes Pferd	aufsteigender Bär

3 Brackenköpfe (2-1) abgewendet	abgeschnittener Stierkopf mit Nasenring	schreitender widersehender Widder	schräglinks wachsender Hirsch

zunehmender Mond hinter Dreierberg aufgehend	im linken Obereck aus Wolken hervorgehend	3 Sterne balkenweise	3 Sicheln, Schneiden nach oben übereinander

2 schräggekreuzte Adlerklauen	3 im Dreipaß gestellte Seeblätter	Glevenbesteckter Doppelsparren	gespaltene Gans in wechselnden Farben

47

GEMEINE FIGUREN, hierzu sind die Sprachwendungen bei M. GRITZNER „Heraldische Terminologie" zu finden.

redend,
Hennenberg

2 Flügel, begleitet
von 4 Kugeln

schräglinker
Balken belegt mit

Turm
beseitet von

...links gekehrt
muß besonders
gemeldet werden

...durchsteckt

...gestürzt

...gold bewehrt
(Flügel mit Adler-
köpfen besetzt)

Windspiel vor
Balken

...überdeckt
durch Balken

...mit Löwe
belegter Balken

...5 × von Silber
und Rot geteilt

...besät mit
(über den Schild-
rand gehen)

...bestreut mit

Turnierkragen

Bastardfaden

48

ADLER UND LÖWE in ihren typischen Stilformen der Jahrhunderte, dazu ihre schematischen Grundformen.

12., 13. Jahrhundert
Kopf: erhoben
Schnabel: geschlossen
Hand: eingerollt
Schwingen: hängend
Fänge: hängend
Schwanz: Knoten

Ende 14. Jahrhundert
Kopf: geradeaus
Schnabel: offen
Zunge: sichtbar
Schwingen: leicht gebogen
Fänge: Hosen
Fänge: abstehend, Schwanz: sichelförmig

16. Jahrhundert
Schwingen: stark
gebogen, sonst alles
freier gestaltet

13. Jahrhundert
Körper: aufrecht
Rachen: geschlossen
Zähne: sichtbar
Pranke: 1, 2, 3 erhoben,
4 nach unten zeigend
Schweif: nach innen
eingerollt,
oft mit Knoten

13.-14. Jahrhundert
Körper: aufrecht
Rachen: offen
Zunge: sichtbar
Pranke: 1 erhoben,
2, 3 geradeaus
4 nach unten zeigend
Schweif: oft mit Knoten,
auch gespalten

14.-15. Jahrhundert
Körper: geneigt
Rachen: offen
Zunge: sichtbar
Pranke: 1 erhoben,
2, 3, 4 nach unten
Schweif: nach
außen gerollt

49

STELLUNG DER SCHILDFIGUREN IM SCHILD (BEISPIELE)

Auch schon die ältesten Wappen zeigten die Schildfigur grundsätzlich heraldisch ⟵ nach rechts gedreht. Sind zwei Wappen zum Ehewappen zusammengestellt, wenden sich Wappen und Wappenfiguren zueinander. Werden bei Adelswappen zwei oder mehrere Wappen in einem Schild vereint, bestimmen heraldische Regeln die Zugehörigkeit der einzelnen Plätze und die Drehung der Schildfiguren. Diese Wappenanordnung zu verstehen, setzt größeres Fachwissen voraus.

1483

1361

Die Schildfigur schaut grundsätzlich heraldisch nach rechts

Widersehende Figur muß bei der Wappenbeschreibung erwähnt werden

Linksdrehung der Schildfigur muß gemeldet werden

MANN   FRAU   1507

Das Wappen des Mannes allein schaut nach rechts. Sind die Wappen der Eheleute als Allianzwappen zusammengestellt, neigen sich die Schilde zueinander und des Mannes Schildfigur sieht zur Frau.

Quadriertes Adelswappen. Schildfiguren 1 und 4 sind hier nach rechts gewendet.

STELLUNG DER SCHILDFIGUREN IM SCHILD

Ein Ehewappen von 1336 zeigt
Schildfigur des Mannes abgewendet.

Wappenvereinigung

um
1300

Schild gespalten
Schildfigur nach
rechts gedreht

Schild und Figu-
ren gespalten
und aneinander
gestoßen

Schild   geteilt
oben ein Heroldsbild
unten gemeine Fi-
gur rechts schauend

1560

1348 - 1360

1665

Drei Schilde, in je vier Plätze geteilt, zeigen historische
Beispiele der Schildfiguren mit den verschiedenen Rich-
tungen zur zweiten Figur.
Bei alten Wappenhandschriften sind oft die Wappen auf
beiden Seiten der Buchmitte zugewendet. Bei Wiedergabe einzelner Wappen schauen sie immer nach rechts.

51

Die bemalten
GLOCKENHELME
des 12. Jahrhunderts
waren vorheraldische
Helme ohne
plastische
Helmzier und
somit noch keine
Wappenhelme.

12.-13. Jahrhundert TOPFHELME

DER HELM UND SEINE FORMWANDLUNG
Wappenhelme mit den dazugehörenden Schildformen

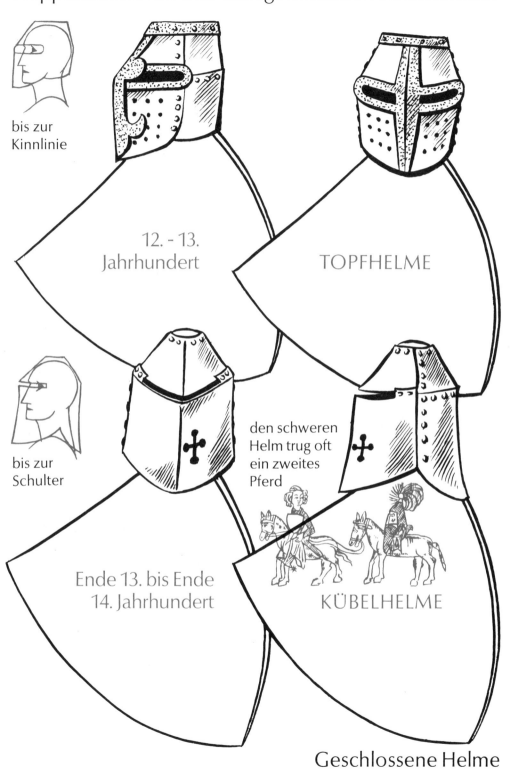

bis zur
Kinnlinie

12. - 13.
Jahrhundert

TOPFHELME

bis zur
Schulter

den schweren
Helm trug oft
ein zweites
Pferd

Ende 13. bis Ende
14. Jahrhundert

KÜBELHELME

Geschlossene Helme

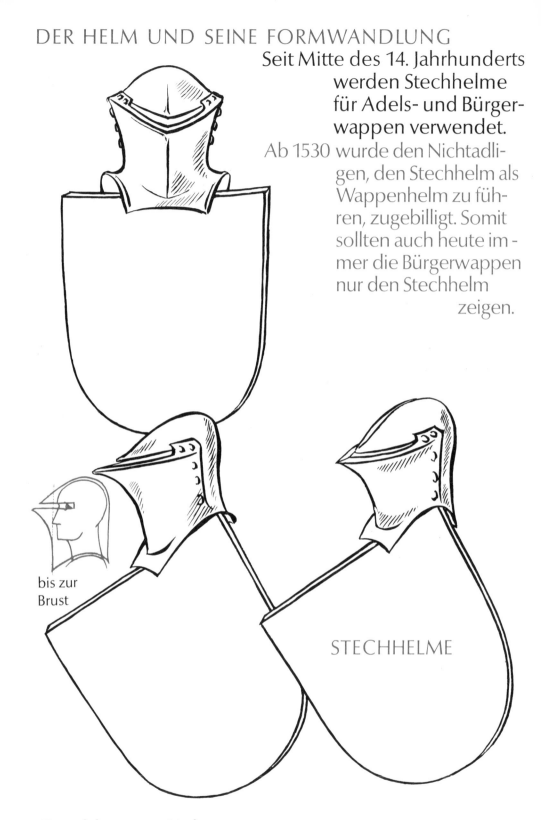

Seit Mitte des 14. Jahrhunderts
werden Stechhelme
für Adels- und Bürger-
wappen verwendet.
Ab 1530 wurde den Nichtadli-
gen, den Stechhelm als
Wappenhelm zu füh-
ren, zugebilligt. Somit
sollten auch heute im -
mer die Bürgerwappen
nur den Stechhelm
zeigen.

bis zur
Brust

STECHHELME

Geschlossene Helme

54

DER HELM UND SEINE FORMWANDLUNG
Offene Helme,

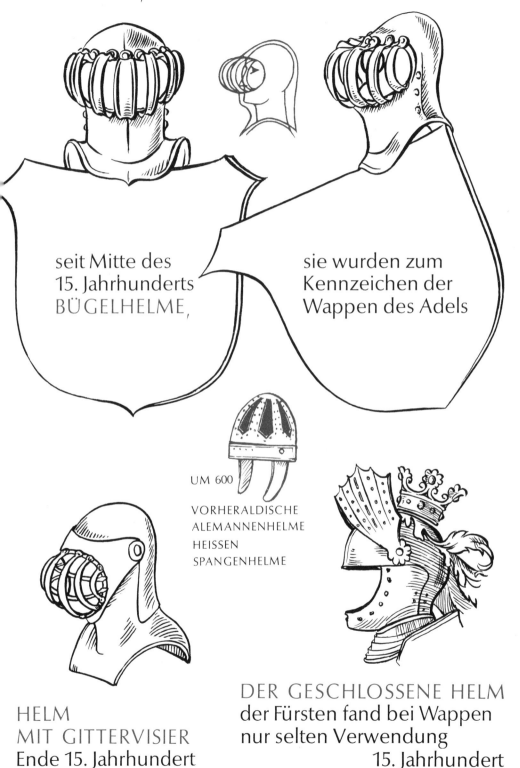

seit Mitte des
15. Jahrhunderts
BÜGELHELME,

sie wurden zum
Kennzeichen der
Wappen des Adels

UM 600

VORHERALDISCHE
ALEMANNENHELME
HEISSEN
SPANGENHELME

HELM
MIT GITTERVISIER
Ende 15. Jahrhundert

DER GESCHLOSSENE HELM
der Fürsten fand bei Wappen
nur selten Verwendung
15. Jahrhundert

55

DIE HELMZIER UND IHRE FORMWANDLUNG

In der vorheraldischen Zeit wurden die Helme bemalt

1196
Glockenhelm
bemalt

1241
Topfhelm
bemalt

1188 Topfhelm
mit plastischem
Helmschmuck

13. - 14. Jahrhundert
Stierhörner mit
kurzer Helmdecke

Mit der plastischen Helmzier bildete sich der Wappenhelm

15. Jahrhundert
Büffelhörner

DIE HELMZIER wird auch Helmfigur, Helmkleinod oder Zimier genannt. Der Helm mit der Helmdecke, Krone oder Wulst und der Helmfigur bilden das Oberwappen. Eine Helmfigur, die sich am Helm nicht befestigen läßt, ist als Helmzier ungeeignet.

geschlossener Flug
Helm rechts gewendet

offener Flug en face,
Helm rechts gewendet

Schirmbrett mit Pfauenfederspiegel besteckt

Köcher, Hüte, Schirmbretter, Fahnen, Flügel und dergleichen sind oft nur Träger der Helmfigur und somit Hilfsfiguren.

Pfauenstoß

hoher Hut

DIE HELMZIER. Von der Natur abgeleitete Figuren.

Sie sollten der Schildgröße entsprechend, nicht zu klein, natürlich und heraldisch vereinfacht, aber nicht als dekorative, flächige Schablone gezeigt werden. (BEISPIELE)

Tierrumpf   wachsendes Tier   Tierteil

Menschenrumpf   Körperteile

wachsender Mensch

DIE HELMZIER sitzt immer fest auf dem Helm und darf nicht schwebend dargestellt werden.

vollständiges Tier

Baum

Blüte

Gerät

Frucht

Gebäude

Grafenkrone

Freiherrenkrone

Adelskrone

Der Adel verwendet für dekorative Zwecke oft nur die Rangkrone, richtig aber ist es, die Rangkrone mit Schild zu zeigen.

Das Schema für die Rangkronen entwickelte sich im 16. Jahrhundert Die Helmkrone kommt

im 13. Jahrhundert in Gebrauch. Sie ist eine Laub- oder Blütenkrone und keine Rangkrone, sie sollte aber nur beim Vollwappen des Adels mit Schild, Helm, Helmdecke, Helmkrone und Helmzier gezeigt werden. Kronen gehören nicht in Bürgerwappen, es sei, eine Verleihung ist nachzuweisen.

Rang- und Adelskronen werden immer nur mit dem

Wappenschild allein, und auf den Schildrand gesetzt, selten darüber schwebend, dargestellt.

BEDEUTUNG DER MÜNZE AM HELMHALS

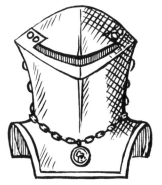

Die Münze am Helmhals deutet die Zugehörigkeit zu einer Turniergesellschaft an und gehört nicht an den Helm eines Bürgerwappens, da Bürger nicht turnierfähig waren.

DER WULST UND SEINE ANWENDUNG. Den Helmwulst der Adels- und Bürgerwappen gibt es seit der Spätgotik.

DER CREST. Er besteht aus Wulst und Helmzier

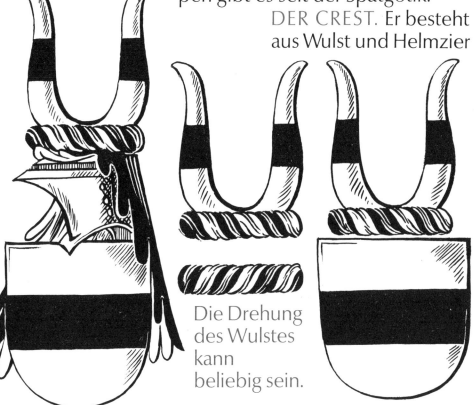

Die Drehung des Wulstes kann beliebig sein.

Der Wulst aus gedrehten Stoffstreifen verdeckt nur schlechte Übergänge vom Helm zur Helmfigur und ist ohne heraldische Bedeutung.

oder aus dem Schild mit Wulst und Helmzier ohne Helm und Decke. Die Anwendung des Crest ist eine englische Sitte.

DIE KRONEN. Rangkronen seit dem 15. Jahrhundert

-1806

1871
- 1918

Kaiserkrone des alten Reiches – des Deutschen Reiches

Königskrone

Herzoghut

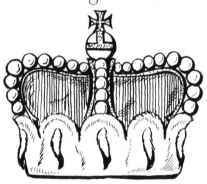

Fürstenhut

Kurhut

13. Jahrhundert
Laub- oder Helmkrone

Mauerkrone

Kardinal

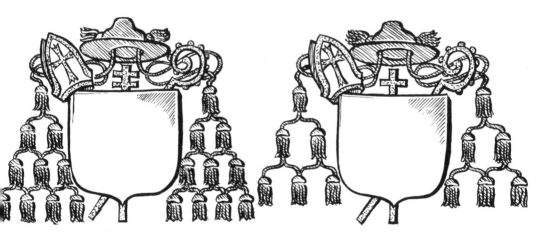

Erzbischof

Bischof

Abt

DIE HELMDECKE, ihre Entstehung und Gestaltung.
Erste Erwähnung in Dichtungen zu Beginn des 13. Jahrhunderts

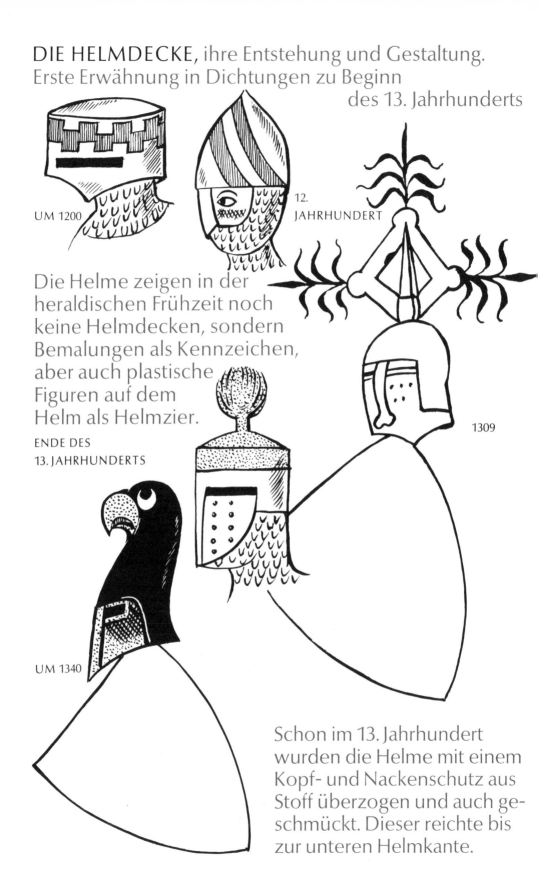

UM 1200

12. JAHRHUNDERT

Die Helme zeigen in der heraldischen Frühzeit noch keine Helmdecken, sondern Bemalungen als Kennzeichen, aber auch plastische Figuren auf dem Helm als Helmzier.

ENDE DES 13. JAHRHUNDERTS

1309

UM 1340

Schon im 13. Jahrhundert wurden die Helme mit einem Kopf- und Nackenschutz aus Stoff überzogen und auch geschmückt. Dieser reichte bis zur unteren Helmkante.

64

DIE HELMDECKE, ihre Entstehung und Gestaltung in den Jahrhunderten. Die älteste uns überlieferte Darstellung stammt aus den Jahren um 1300.
Mit der Verlängerung des Helm- und Nackenschutzes entstanden die Helmdecken.

UM 1400

UM 1300

UM 1305

UM 1350

Die Helmdecken wurden gezaddelt, bandförmig oder als gerafftes und flatterndes Tuch gezeigt.

DIE HELMDECKEN wurden größer, reicher und ließen den jeweiligen Zeitstil erkennen. Sie wurden ein- und zweiseitig ausgeführt und zeigten nach heraldischen Regeln innen Metall und außen Farbe.
Seit dem 16. Jahrhundert werden die Decken zu überreichem arabesken Ornamentwerk.

UM 1470

In unserer Zeit wurde die Einfachheit, Größe und Schönheit der frühen Wappen als zeitloser heraldischer Stil wieder erkannt.

UM 1579

STELLUNG MEHRERER HELME AUF EINEM SCHILD
bei Wappenvereinigungen des Adels.

Zwei Helme über einem Schild deuten auf Wappen von Grafengeschlechtern, drei Helme über dem Schild auf freiherrliche Familien hin.

Mehrere Helme über einem Schild werden bei den vielfeldrigen Besitz- und Territorialwappen des Hochadels gezeigt.

EINFACHE WAPPEN sind Wappenschilde mit Schildfigur ohne Helm, Helmzier und Helmdecke. Diese einfachen Schildwappen sind seit den Anfängen der Wappenverwendung im Gebrauch.

GEMEINE FIGUR

Frühe Wappenschilde zeigen entweder gemeine Figuren oder Heroldsbilder, oder sie haben Heroldsbilder und gemeine Figuren miteinander in einem Schild vereint.

HEROLDSBILD

HEROLDSBILD UND GEMEINE FIGUR

HEROLDSBILD UND GEMEINE FIGUR

VOLLWAPPEN setzen sich aus Schild mit Schildfigur und Helm mit Helmdecke und Helmzier zusammen.

ALLIANZWAPPEN = EHEWAPPEN
sind Wappenvereinigungen.

ZUSAMMENGESCHOBENE
WAPPEN

Das Wappen des Mannes wird
mit dem Wappen des Vaters der
Frau in einem Wappen vereint.

ALLIANZWAPPEN
mit zwei Helmen über
einem Schild können
bei Bürgerwappen
nicht Anwendung
finden.

MANN   FRAU

EHEWAPPEN
als
ZUSAMMEN-
GESTELLTE
WAPPEN
zeigen
das Wappen
des Mannes
dem Wappen
des Vaters
der Frau
zugewendet.

MANN   FRAU

69

VERMEHRTES WAPPEN. Vor allem die Dynasten führten mehrere Wappen in einem Schild vereint als Besitz- und Territorialwappen und auf dem Schildrand die dazugehörigen Helme.

WAPPEN
DER FÜRSTEN
ZUR LIPPE

NACH HUPP

Hauptstücke des Wappens sind:
Schild mit Schildbild (= Schildfigur),
Helm mit Helmfigur (= Helmzier) und Helmdecke,
dazu kommen oft Helmkrone oder Wulst

70

GROSSES WAPPEN. Ein Staatswappen aus der monarchischen Zeit.

WAPPEN
DES KÖNIGREICHES
SACHSEN

Nebenstücke und Prachtstücke sind:
Schildhalter, Wappenmäntel oder Wappenzelte, Fahnen, Orden oder Devise = Wahlspruch. Sie stehen als Zutaten außerhalb des eigentlichen Wappens.

SCHILDHALTER ALS DEKORATIVES BEIWERK
BEI WAPPEN

1225

BEI REITERSIEGELN
IST DER RITTER VORLÄUFER
DER SCHILDHALTER

1470-1483

SIXTUS RIESSINGER

1256

JUTTA VON REIFFERSCHEIDT
MIT DEM SCHILD IHRES GATTEN

LEIPZIGER DRUCKERMARKE

PIRKHEIMER   AUSSCHNITT
UND FRAU   NACH DÜRER

UM 1500

Die ersten Schildhalter
waren menschliche
Gestalten.
Im 14. und 15. Jahrhundert
wurden Tierfiguren und
Fabelwesen verwendet.

72

SCHILDHALTER

Im 17. Jahrhundert
wurden Schildhalter
auch erblich verliehen.
Im 15. Jahrhundert
beginnen die Bürger
ihr Wappen mit
Schildhaltern
zu schmücken.
Auch die Städte
verwendeten oft
Schildhalter
als künstlerischen
Schmuck für
ihre Wappen.

WILDER MANN ALS SCHILDHALTER
1589   NACH JOST AMMAN

DRUCKERMARKE MIT
AST ALS SCHILDHALTER 1477-1493

LÖWE UND GREIF
ALS SCHILDHALTER

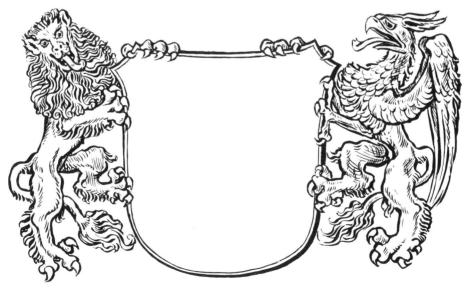

1527

73

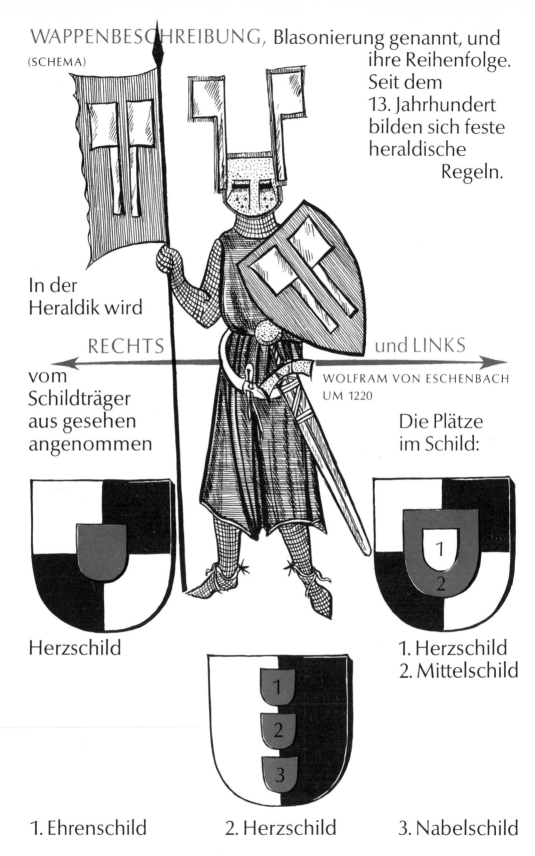

WAPPENBESCHREIBUNG, Blasonierung genannt, und ihre Reihenfolge. Seit dem 13. Jahrhundert bilden sich feste heraldische Regeln.

(SCHEMA)

In der Heraldik wird RECHTS und LINKS

WOLFRAM VON ESCHENBACH UM 1220

vom Schildträger aus gesehen angenommen

Die Plätze im Schild:

Herzschild

1. Herzschild
2. Mittelschild

1. Ehrenschild   2. Herzschild   3. Nabelschild

EIN WAPPEN WIRD WIE FOLGT ANGESPROCHEN:

von | oben
nach | unten • und von rechts ⟶ nach links.

DER SCHILD und die Benennung der Schildteile

a) Herzschild steht an 1. Stelle
Mittelschild an 2. Stelle

b) Schildaufteilung

A B Oberrand
C D Unterrand
A C rechter
Seitenrand
B D linker
Seitenrand
123 Schildhaupt
456 Mittelstelle
789 Schildfuß
147 rechte Flanke
258 Pfahlstelle
369 linke Flanke

1. rechtes
Obereck
2. Ortstelle
3. linkes
Obereck
4. rechte
Hüftstelle
5. Herzstelle
6. linke Hüftstelle
7. rechtes Untereck
8. Fersenstelle
9. linkes Untereck

c) Farbe, Metall
d) Anzahl, Farbe und Art der Figuren.

. DER HELM

. DIE HELMDECKE

zuerst Farbe außen, dann Metall innen melden.

. DIE HELMZIER

Anzahl, Farben und Art der Figuren.
Die selbstverständlichen Dinge, wie Rechtswendung
der Figuren ⟶ sind nicht besonders zu erwähnen,
wohl aber die Linkswendung einer Figur.
Die Bewehrung = Schnäbel, Zungen, Zähne, Krallen, Flos-
sen und so fort werden nur bei Farbwechsel gemeldet.

Reihenfolge der Benennung der Plätze bei Schildteilung

WAPPENBESCHREIBUNGEN
= Blasonierungen

Wappen: in G. übereinander zwei zum Sprung angesetzte gekrönte r. Wölfe mit beringten g. Halsbändern. Gekr. **Helm:** wachsender r. Hirsch, Zehnender, mit beringtem g. Halsband und g. Krone zwischen dem Geweih.

Decken: r./g.

BORCKE

Wappen: geviert 1. u. 4. geteilt r. / w., darin unten eine aufsteigende r. Spitze, 2. u. 3. in ⚏ ein gemeines g. Kreuz. Zwei **Helme:** I. r. Spitzhut mit w. Aufschlag, die Spitze mit einem Pfauenfederbusch besteckt. II. gekrönt, lediges g. Kreuz zwischen zwei ⚏ Flügeln.
Decken: r. / w.– ⚏ / g.

LASSBERG

BEISPIELE VON WAPPEN- UND WAPPENBESCHREIBUNGEN NACH OTTO HUPP

76

VASSMER

WAPPENBESCHREIBUNGEN
werden heute nach heral-
dischen Regeln ohne über-
flüssige Worte so abgefaßt,
daß hiernach ein Wappen
ohne Vorlage fehlerfrei
in der Reihenfolge von:
1. Schildfarbe
2. Schildinhalt
3. Helm
4. Helmdecken
5. Helmzier
aufgerissen werden kann.
Wappen: von Gold und
Rot gespalten, vorne, ein
schwarzer Flügel; hinten,
über grünem Boden eine
halbe weiße Stadtmauer,
dahinter drei grünbedach-
te Türme. Decken: rechts
schwarz / golden, links rot /
silbern. Helmzier: ein
schwarzer Flügel.

RUSSEBEL-
LINGE

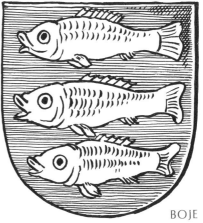

BOJE

Wappen: gespalten, rechts
in w. ein # halber Adler,
links in Bl. drei w. Bojen.

Wappen: in Bl. drei w.
Fische rechtshin überein-
ander schwimmend.

77

DIE WAPPENDEUTUNG. Der Wappenunkundige fragt immer zuerst nach der Bedeutung eines Wappeninhaltes. Alte Adels- und Wappendiplome sowie Wappenbriefe enthalten dem Zeitstil entsprechend oft in romantisch umschweifender Redewendung Wappenbeschreibungen, aber keine Wappendeutung.

Wappendeutungen (= Begründungen der Wahl eines Wappeninhaltes) sind kaum überliefert. Die Bedeutung der Farben und Figuren wurde heraldisch nie festgelegt. Die Wappenbeschreibung muß mit wenigen Worten ohne Bildvorlage einen heraldisch und inhaltlich fehlerfreien neuen Wappenaufriß ermöglichen.

BEISPIELE VON
REDENDEN WAPPEN
DES 13. UND 14.
JAHRHUNDERTS

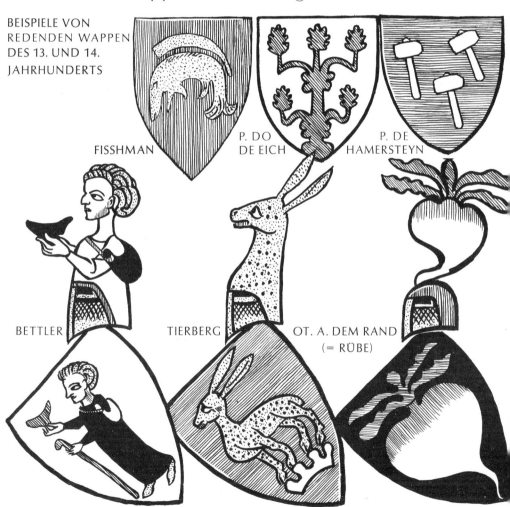

FISSHMAN

P. DO
DE EICH

P. DE
HAMERSTEYN

BETTLER

TIERBERG

OT. A. DEM RAND
(= RÜBE)

REDENDE WAPPEN deuten den Namen bildhaft an.

78

WAPPEN SCHWARZ-WEISS GEZEICHNET mit den Farben darstellenden Schraffierungen.

Wenn Schild geneigt und Helm mit Helmzier seitwärts gedreht ist, neigen sich im Schild Schildfigur und Schraffierungen mit der Senkrechten.

Bei Ehewappen wird das Wappen des Mannes ins Spiegelbild gestellt. Die Schilde stehen zugeneigt. Die Schraffierungen werden mit geneigt, aber nie mitgedreht.

Das Wappen des Mannes steht immer rechts.

MANN   FRAU

DIE ALTEN MEISTER DER WAPPENKUNST

Aus der Notwendigkeit auch bei geschlossener Rüstung Freund und Feind zu unterscheiden, mußte das Rüstzeug von Pferd und Reiter, besonders aber Helm und Schild mit Farben und Figuren deutlich gekennzeichnet werden.

SIEGEL DER KÖLNER SCHILTERZUNFT
14. Jh.

KÄMPFENDE RITTER MIT ERKENNUNGS-ZEICHEN AN IHREN WAFFEN

1174

Die Schilterer fertigten für die vielen Krieger in ihren Werkstätten Schilde, die mit Stoff, Tierhaut und Metallbeschlag verstärkt und noch bemalt wurden. Sie besorgten auch Helme, Helmfiguren und Rüstzeug. Ihr großes technisches und künstlerisches Können zeigten die Schilterer später mit ihren kostbaren Ausstattungen der Ritter bei den Turnieren.

Die Schilterer mit dem gestalteten Rüstzeug, die Herolde mit den Wappenbüchern, die Stempelschneider mit den Münzprägungen und Siegeln sowie die Steinmetzen mit den Denkmälern usw.

HEROLD UM 1510 waren die alten Meister der Wappenkunst.

ALTER PRUNKSCHILD MIT LEDERPLASTIK

1241

DIE WAPPENBÜCHER DES MITTELALTERS

Bedeutende Quellen für die Wappen sind die Wappenhandschriften, Turnierbücher und Wappenrollen.

Wappen-
Buch
von den
Ersten ►
UM 1380

13. - 14.
JAHR-
HUNDERT

Manessische Liederhandschrift

Bilderhandschrift
Balduineum   1340-1350

Conrad Grünebergs
Wappenbuch   ▼ 1483

Wappenbuch
St. Gallen 1466 - 70

ALTE ÜBERLIEFERTE WAPPEN. Das Wappen eines Geschlechtes in seiner ältesten nachweisbaren Form kann als Stammwappen von allen Nachkommen im Mannesstamm des ersten Wappenträgers geführt werden, die urkundlich die ununterbrochene Stammesfolge in direkter Linie des Stammvaters nachweisen. Im Laufe der Jahrhunderte wurden diese Wappen oft zur Unterscheidung der einzelnen Linien der Nachfahrenstämme verändert und in dieser Form von den Nachfahren unverändert weitergeführt. Damit entstanden die Wappen der einzelnen Linien, Geschlechter und Sippen.

Bei überlieferten Wappen ist der Wappeninhalt das Wesentliche, die Form des Kunststils das Nebensächliche.

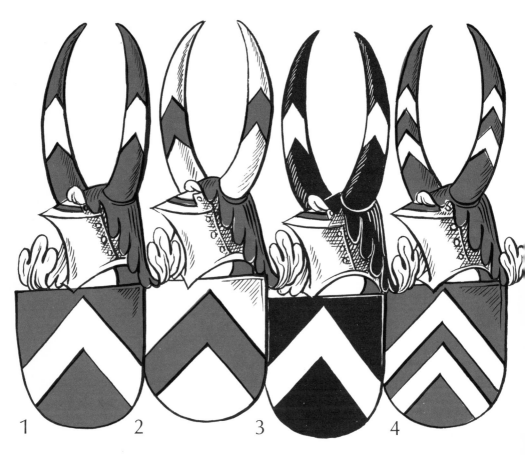

1   2   3   4

DIE WAPPENSCHEIDUNG. Die Unterscheidung der einzelnen Personen oder der Stammeslinien eines Geschlechtes mit ihren Wappen entstand durch:

1. Änderungen am Stammeswappen, und zwar
2. Umkehr der Farben des Wappens
3. Veränderung der Farben, nicht des Wappenbildes
4. Vermehrung oder Minderung der Figuren
5. u. 6. Verwendung eigener Helmfiguren
7. Vereinigung zweier Wappen im Schild
8. Vereinigung der Wappen von Mann und Frau zum Allianz-Wappen

TECHNISCHE BEISPIELE
IM SINNE DER HISTORIE

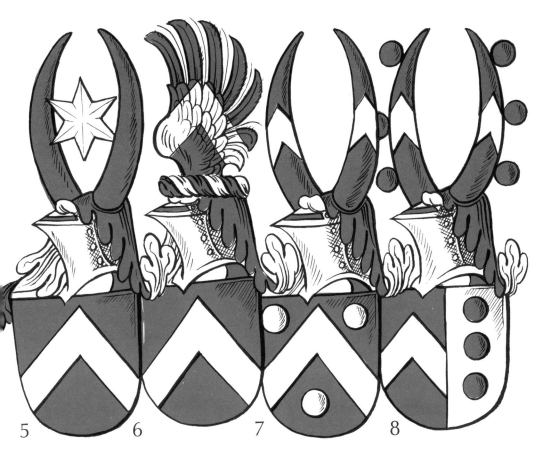

GLEICHE UND VERSCHIEDENE WAPPENBILDER UND NAMENSTRÄGER bei historischen Wappen (BEISP.)

MOSER v. FILSECK 1573 STEINEGGER 1590 GERBER 1865 SOLLBERGER 1916

Bei gleichem Wappeninhalt verschiedene Namensträger

NEUMANN GÖRLITZ 1574 NEUMANN WITTENBERG 1661 NEUMANN DANZIG 1852 NEUMANN LINGEN 1863

Bei gleichen Namensträgern verschiedener Wappeninhalt. Blutsverwandtschaft wird damit nicht bewiesen.

v. VIANDEN
v. SCHONECKEN v. REIFERSCHEID v. WILDENBURG v. ERDORF BOYARD

BEIZEICHEN in einem historischen Stammwappen angewendet zur Wappenunterscheidung der einzelnen Stammeslinien.

Grundsätzlich soll jedes Wappen mit seinem Wappeninhalt einmalig sein und keinem zweiten gleichen.

84

WAPPENFÜHRUNG EINES ERERBTEN ODER AUF-
GEFUNDENEN ALTEN WAPPENS gleichen Namens.
Dieses Wappen muß an Hand von beglaubigten Urkunden überprüft werden, ob es wirklich das Wappen der
direkten Stammeslinie des Vaters ist und nicht das einer
verwandten Nebenlinie mit gleichem Namen oder sogar
nur das eines Namensvetters. Es ist nicht statthaft, ein
solches Wappen zu übernehmen und es zu führen. Das
Wappen des Vaters des Mannes dürfen die Ehefrau des
Mannes und seine Kinder als Familienwappen führen.

Das Wappen des Vaters der Ehefrau
kann wohl die Ehefrau tragen, aber es
darf weder vom Ehemann noch von
seinen leiblichen Kindern geführt
werden. Das Wappenführungsrecht
entspricht dem Recht zur Führung eines Familiennamens.

WIEDERGABE ALTER WAPPEN.
Sie erfolgt endweder
a) als Faksimile = als originalgetreue
   Nachbildung des
   vorliegenden alten
   Wappens, oder
b) im Zeitstil, aber
   heraldisch und for-
   mal verbessert, oder
c) im Sinne unserer
   Zeit sachlich, formal
   im heraldischen,
   aber nicht im ge-
   brauchsgraphischen
   Stil vereinfacht.

VERERBUNG VON FAMILIENWAPPEN
erfolgt nur in der direkten Stammeslinie des Vaters.

WAPPENFÄLSCHUNGEN nennt man jene Wappen, die nach 1800 von Wappeninstituten und Wappenschwindlern als aufgefundene echte alte Familienwappen mit fragwürdigen Urkunden versehen unseren Vorfahren angeboten und verkauft wurden. Aus Unkenntnis wurden diese als ererbte Familienwappen geführt und als Wandbild, Siegelring, Petschaft, auf Briefen oder Hausrat überliefert. Die Überprüfung und Eintragung solcher Wappen ist unbedingt notwendig. Näheres auf Seite 91.

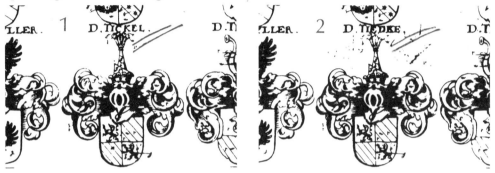

Wappenfälschung durch Namenfälschung. Ein Beispiel aus der Wappensammlung Siebmacher 4/179 1 TICKEL echt und mit 2 TIEDKE umgefälscht.

Dieses Wappen ► gehört zu dem Adelsgeschlecht „DIE LOFRER", es wurde zu „LOOFF" umgefälscht.

Es soll in der europäischen Wappensammlung zu finden sein. Diese Sammlung ist wissenschaftlich nicht bekannt.

WAPPENVERFALL UND WAPPENROMANTIK (BEISPIELE)

GEZEICHNET
VON JOST AMMAN
UM 1589

FAMILIENWAPPEN
GOETHE
UM 1772

WAPPEN
VERSUCH
UM 1943

WAPPEN-
STILFORM
UM 1920
UM 1862

NACH 1900

WAPPEN EINER
STUDENTENVERBINDUNG

FAMILIENWAPPEN
ALS FIRMENWAPPEN

Unkenntnis, Nichtkönnen und Romantisierung führten
zur Verunstaltung von Wappenform und Wappeninhalt.

87

NAMENSWANDLUNG UND NAMENSBEDEUTUNG.

Vor dem Suchen nach dem alten Familienwappen zuerst den Familiennamen auf Wandlung und Bedeutung erforschen. Auskünfte und Bücher hierfür sind in den Stadt-, Landes- und Staatsarchiven erhältlich.

NAMENLITERATUR: Brechenmacher, Gottschald sowie Bahlow und Heintze-Cascorbi.

1

(Hornulf): *Hornulf; Hornauf; Hornof.* Einstämmige Kürzung Horn-.

(Horno): *Horn(e).* Patr. A. Hornung: *Hornung; Horni(n)g; Hörni(n)g.* Vklf. (l): *Hörnle; Hörndl.*

Hurnaus s. Hornus. **Hürner** s. Horn.
Hurst, Hürst s. Horst. **Hürter** s. Hurder.
Hürtgen III. der aus H. (Rheinland).
Hurtig III. „rasch, flink".
Hus III. tschech. „Gans". Vklf. *Huschke* (Thür.).
HÛSA I. sä., got. ahd. mhd. hûs „Haus". Husimunt. Husward. Pernger Husel 1194 Bamberg.

FN. (Husbrand): *Haußbrand; Hausbrand.* Husman: *Hausmann.*

Huster III. „Huster". Huoster 1565 Freiburg.
Hut a) I. s. Hudjô. b) III. ahd. mhd. huot „Hut" (auch in dem Sinne von Helm). Gerlach cum mitra in Köln 12.Jh. Vgl. S.50. FN. *Anhuth, Ahnhudt; Blauhut; Breithuth; Eisenhut,* niederd. *Iserhot* (mhd. îsenhuot „Helm"); *Fingerhut* (= -macher); *Gelhut,* niederd. *Geelhood; Großhuth; Grünhut; Hoch-* mit seinem Gegensatz *Nedder-; Juden-; Kessel-,* niederd. *Ketelhod, -haut* (Pickelhaube in Kesselform); *Kipphaut* (Zipfelhut, mnd. kip Zipfel an der Kapuze, Kiphot alter FN. iu Stralsund); *Rauhut; Ring-* (Tirol; Ringshüetl um 1350 Olmütz); *Rot-, Rode-; Schaub-, Scheibel-* (mhd. schoup-

ALTE FAMILIENWAPPEN ausfindig zu machen, überläßt man besser Fachleuten, den Genealogen. An Nachschlagewerken gibt es: 1. Wappenwerke mit Wappen und Namen. 2. Wappensammlungen und Wappenrollen der Vereine für Heraldik. 3. Namenregister mit Wappennachweisen ohne Abbildungen und 4. Bücher mit Namenregister und Wappenbeschreibungen.

2

Siewerſen: Si 9/79
Siewert: Balt — Balt II
Siewierſki: Ri 1
Sifermann: A 12/48
Sifrid: A 1/92 — S 24/141
Sigbot: Si 3/70
Sigeboden: Si 6/92
Sigel: Si 3/15
Sigele: Ra
Sigelmann: Ho 39/203 — Ri 1
Sigenheim: Ri 1
Sigenhofen: Ri 1
Sigersreuter: Si 5/65
Sigg: Wint — Lu 234 — Ri 1
Siggard: Si 4/38
Siggen: Ri 1
Siggenos: Ra
Siggingen: Ra
Sighard: Ho 14/14
Sighardt: Si 1/31
Sighart: Si 6/73 — Ri 1 — Sb 5/365
Sigl: Si 6/55 — Ri 1
Siglingen: Ri 1
Siglſtein: Der 3/359

Simmler: Meʒ
Simmoth: Ri 1
Simold: Si 2/47
Simolin: Balt II — Ri 2
Simon: Balt II 3 — Bern 2 — Su — Lo — La — Mr 1/17 — H 17/67, 59/57 — Ho 24/94 — P 15/87/2170 — Si — Si 2/22 (2), 2/33, 3/15, 4/68, 6/55, 7/95, 12/10, 12/31, 12/83, 13/59, 13/73 — Ri 18
Simonet: Aa 20/106
Simonides: Ri 1
Simonis: P -/18/428, 12/75/1852 — Balt
Simonius: Si 9/48, 11/37 — M 2/151 — Kb — S 32/135 — Ri 1
Simons: Si 4/68, 12/10 — B 232 — Kö 21/415 — Bw 15 — Bl 33
Simpelen: Ri 1
Simpſon: Kö 73/624
Simu: (?): Ra
Sina: K3

Sirichs: Siebs
Siricius: Si 3/88
Sirik: Dith 82, 69
Sirmond: Ri 1
Sirp: Si 10/33 — P 8/58/1447
Siſik: Gr 131
Siſiau: Ri 2
Siſlucker: Lo
Siſſach: Ri 1
Siſſink: Ri 1
Sitauer: H 17/Nr. 38
Sitich: Ra
Siton: Ra
Sittich: Ri 1
Sittard: Si 4/75 — Sa 137
Sitte: P 10/65/1622
Sitter: Si 1/56 — Ri 1
Sittich: Si 1/56, 3/88 — Ri 1 — Aa 18/146
Sittig: Ra
Sittl: Si 12/10, 13/19
Sittmann: Ri 1 — P 11/69/1711
Sitz: Si 3/70
Sitzinger: Sü 1/215
Sitzmann: S 43/118

Zwei Beispiele aus Fachbüchern: 1 Namenvorkommen mit Abwandlungen. 2.Namenregister mit Wappennachweis.

WAPPENBILDSAMMLUNGEN zeigen unzählige Wappenbilder. Die „Heraldische Terminologie" von Gritzner bringt allein 3600 Abbildungen. (BILD- UND TEXTAUSSCHNITTE)

WAPPENBILDBESCHREIBUNGEN = Blasonierungen
zu den Wappenbildern führen gut in die Eigenart des heraldischen Sprachgebrauches = der Terminologie ein.

1	2	3	4	5	6	7	8	9
Göppelstück oben querausgezogen	Z-förmig-quergetheilt	mit doppeltem Z-quergetheilt	mit verkehrtem Z getheilt	schräggetheilt senkrecht- quer-gebrochen		schräglinksgetheilt senkrecht- quer-gebrochen		sch mit Spalt

11	12	13	14	15	16	17	18	19
schräglinks mit Quer-Theilung	schrägrechts mit Spaltungen mit Quertheilungen		schräg(rechts)-verstutzte Quer-	dgl. aufrechte	schräglinks-verstutzte Quer-	dgl. aufrechte	dreireihig-	gespicke
	gerautet			Schindel				

21	22	23	24	25	26	27	28	29
sieben-reihig	neun-reihig	2 Pfalreihen Spickel	9 fach schräg gespickelt	Dreieck	3 gestürzte Spickel	3 Spickel	3 Schildchen	Triangel
gespickelt								

31	32	33	34	35	36	37	38	39
rechter	linker	linker	linker	rechter	linker	rechter	rechter	rechter Obe u. Gegen-Ständer
Ober-		oberer	unterer	Unter-		unterer	oberer	
		Flanken-					Flanken-	
			Ständer					

Auskünfte über Nachschlagewerke mit den Namen- und Wappenvorkommen geben die Staats- und Stadtarchive und alle größeren Bibliotheken.

89

SYMBOLE, ZEICHEN, WAPPEN, MONOGRAMME.

Mit Hof- und Hausmarke oder Symbol kennzeichneten und schmückten schon sehr früh Bauer und Bürger ihre Häuser. Im 13. Jahrhundert mußten auch die Bürger siegeln. Die Siegelstecher setzten hier für den Bürger gleich dem Adel ein Wappen in das Siegel. Im 14. Jahrhundert zeichneten Bürger und Bauern mit Wappen ihre Häuser.

Bäuerliche Hofmarke

1697

1745

An Bauernhäusern Symbole freistehend

und Symbol in einen Schild gestellt

Voll-
wappen,
Patrizier-
wappen
bei einem
Turnier
gezeigt

1754

1466

Symbol oder Hausmarke freistehend, ist noch kein Wappen. Symbol oder Hausmarke in den Schild gestellt, wird zum Wappen und muß dann Farbe und Metall zeigen.

Im 19. Jahrhundert wurde beim Petschaft und Siegelring das Wappen vom unheraldischen und recht unpersönlichen Monogramm abgelöst.

Bürgerliche Monogramme

Höfisches Monogramm

Zirkel von studentischer Verbindung

90

VOM AUFREISSEN UND INHALT EINES WAPPENS.
Vor der Wahl des Inhaltes eines neuen Wappens den Familiennamen anhand von Urkunden des Vaterstammes auf Namenswandlung und Namensdeutung prüfen.
Beim Entwerfen eines Wappens möglichst einen redenden namenbezüglichen Wappeninhalt wählen.
Einfache Wappenform und einfacher Wappeninhalt zeigen Verständnis für gute Heraldik.

PERT
1310

Es sollte ein Wappen nur ein Metall und eine Farbe haben.
Es sollte am besten nur eine Schildfigur und nur eine Helmfigur aufweisen, die sich aus einem überlieferten Symbol der Familie, des Berufes der Vorfahren oder aus besonderen Begebenheiten oder Merkwürdigkeiten bilden lassen.
Unheraldische Romantik sollte hierbei vermieden werden.
Es sollte ein Schild auch nur wenige Schildteilungen haben.
Es kann die Helmfigur der Schildfigur gleich sein, oder ein weiteres Symbol das Wappen besonders kennzeichnen.
Es sollte die Helmdecke das Wappen schmücken, nicht überwuchern, dazu außen Farbe und innen Metall zeigen.
ÜBERPRÜFUNG sowie Eintragung in die Deutsche Wappenrolle und Veröffentlichung von historischen Wappen oder von ererbten Familienwappen, die nach 1800 erworben wurden, und von neuen Wappen ist anzuraten.
AUSKUNFT UND BERATUNG übernehmen:
der Herolds-Ausschuß der „Deutschen Wappenrolle"
1 Berlin 33 Dahlem, Archivstraße 12-14 oder
die Genealogisch-Heraldische Gesellschaft mit dem Sitz in Göttingen, 34 Göttingen. Staatsarchiv, Theaterplatz.
WAPPENFORSCHUNG UND WAPPENENTWURF werden von heraldischen Vereinen und Gesellschaften nicht übernommen. Die Adressen von Genealogen und Heraldikern benennt der Herold. Nach Anerkennung, Eintragung in die Wappenrolle und einer Veröffentlichung des Wappens erhält das Wappen seinen Rechtsschutz.
WAPPENSCHUTZ wird gleich dem NAMENSSCHUTZ nach § 12 des Bürgerlichen Gesetzbuches gewährt.

DIE ÄLTESTEN MARKEN (=MIRK), die Runen unserer Vorfahren, lassen sich bis in die vorgeschichtliche Zeit hinein nachweisen. Wahrscheinlich waren sie schon damals die Kennzeichen für Person, Familie und Besitz.
Als Ideenzeichen waren sie viel älter als die Schriftzeichen des „RUNEN-ABC = FUTHARK" (ältestes: 5. Jh.).

ᚠ ᚢ ᚦ ᚨ ᚱ ᚲ ᚷ ᚹ : ᚺ ᚾ ᛁ ᛃ ᛇ ᛈ ᛉ ᛊ : ᛏ ᛒ ᛖ ᛗ ᛚ ᛜ ᛟ ᛞ
f u th a r k g w : h n i j e p z(r) s : t b e m l ng o d

ÄLTERES FUTHARK

Die Hofmarken und Hauszeichen sind weit älter als die Wappen, die erst im 12. Jahrhundert in Gebrauch kamen. Hofmarken führten die Bauern und Fischer, Hauszeichen die Städter, dazu kamen die Zeichen der Handwerker. Auch der Adel zeigte vereinzelt Hausmarken im Siegel.

Die Gestalt der frühen Zeichen = Marken war durch die Techniken: Ritzen, Schneiden, Kerben und Schlagen, in Bein, Holz, Metall, Ton und Stein beeinflußt und zuerst nur einfach und geradlinig (1 u. 2), dazu kamen Symbolformen (3) und später auch lateinische Schriftzeichen (4).

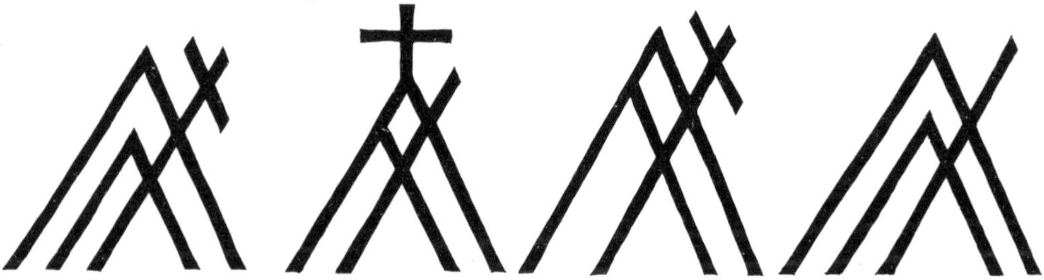

Durch Abwandlungen ihrer Hausmarken gaben sich die einzelnen Familienmitglieder zu erkennen.

HAUSMARKEN IM SIEGEL - HAUSMARKEN IM WAP-
PEN. Hausmarken wurden schon im 13. Jahrhundert im Siegel verwendet.
Seit dem 14. Jahrhundert
werden Hausmarken
als Schildfigur und Helm-
figur in das Wappen
aufgenommen.

1564   1551

Hausmarken im Wappen müssen eine Farbe aufweisen.

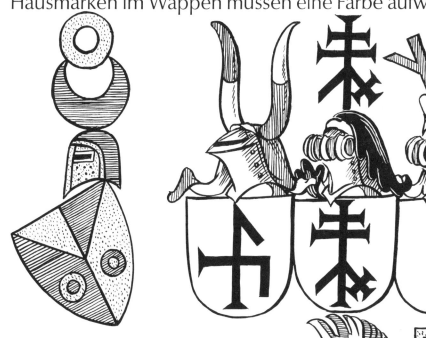

RUNENFÖRMIGE
HEROLDSBILDER HABEN
MIT RUNEN NICHTS ZU TUN

HAUSZEICHEN ALS
SCHILDFIGUR UND
HELMFIGUR

Wenn die Beschreibung der Form
einer Hausmarke nicht
möglich ist, muß der
Wappenbeschreibung
eine Zeichnung des
Zeichens beigefügt
werden.
Den Versuch zur Beschreibung
von Hausmarken zeigt Seite 191
die „Wappenfibel vom Herold." BUCHSTABEN IN WAPPEN VERMEIDEN.

HAUSMARKENBESCHREIBUNG – TERMINOLOGIE

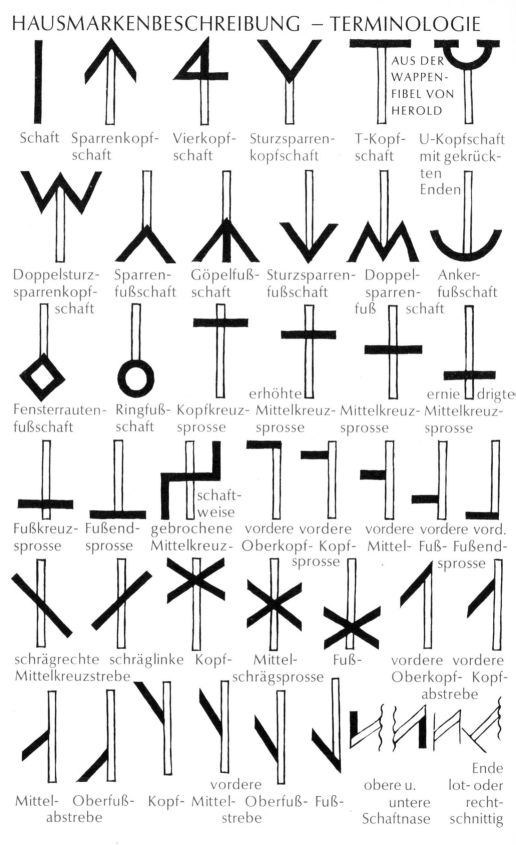

AUS DER
WAPPEN-
FIBEL VON
HEROLD

Schaft Sparrenkopf-schaft Vierkopf-schaft Sturzsparren-kopfschaft T-Kopf-schaft U-Kopfschaft mit gekrück-ten Enden

Doppelsturz-sparrenkopf-schaft Sparren-fußschaft Göpelfuß-schaft Sturzsparren-fußschaft Doppel-sparren-fuß Anker-fußschaft schaft

Fensterrauten-fußschaft Ringfuß-schaft Kopfkreuz-sprosse erhöhte Mittelkreuz-sprosse Mittelkreuz-sprosse ernie drigte Mittelkreuz-sprosse

Fußkreuz-sprosse Fußend-sprosse schaft-weise gebrochene Mittelkreuz- vordere vordere Oberkopf- Kopf-sprosse vordere Mittel- vordere vord. Fuß- Fußend-sprosse

schrägrechte schräglinke Kopf-Mittelkreuzstrebe Mittel-schrägsprosse Fuß- vordere vordere Oberkopf- Kopf-abstrebe

Mittel-abstrebe Oberfuß- Kopf- vordere Mittel-strebe Oberfuß- Fuß- obere u. untere Schaftnase Ende lot- oder recht-schnittig

94

ZEICHEN, MARKEN UND SIGNETE IM GEBRAUCH

Die Marke, das Mirk = Handgemal
entsprach als Handzeichen der
heutigen Namensunterschrift.
Sie war Zeichen für Besitz bei Bauern
und Städtern oder auch Kennzeichen im Handwerk und Handel.
Auch als Warenzeichen wurde sie
zum Kenn- und Bürgschaftszeichen.
Signum von Fürsten

KAISER KARL DER GROSSE 742-814
KAISER FRIEDRICH BARBAROSSA 1152-1190

Hausmarke
aus dem Gegensiegel
EINES KÖLNER PATRIZIERS

Notarsignete
waren an die Person
gebundene
        Amtszeichen,
daher nicht vererbbar.
MEISTENS STEHEN DIE ZEICHEN
AUF EINER STUFENPYRAMIDE (2)
ODER AUF EINEM STAFFELSTEIN (3)

Hofmarken von Bauern
BEI DANZIG

Hausmarken der Städter
KÖLNER KAUFLEUTE

Zeichen der Fischer
AUS HIDDENSEE 13. - 14. JH.

95

Steinmetzzeichen
AUS 1. EICHSTÄTT,
2. GRUNEWALD,
3. u. 4. ST. PETER IN KÖLN

Töpferzeichen
als Bodenstempel
AUF FRÜHGESCHICHTLICHEN
KRÜGEN

Zinngießermarken
AUS SCHLESIEN, 15. JH.

Zeichen der Gold-
und Silberschmiede
IN FRANKFURT

Porzellanmarken
MEISSEN · LUDWIGSBURG
FRANKENTHAL

Tuchmacherzeichen
DER WOLLWEBER
AUS GÖTTINGEN.
DAS ERSTE MIT ABWAND-
LUNGEN GEFÜHRT
UM 1571 · 1582

Hausmarken von
Handelsherren
3, 4 u. 5 KÖLN · 14. u. 16. JH.

Wasserzeichen der Papiermacher

WURDEN VON VERSCHIE-
DENEN PAPIERMÜHLEN
GLEICHZEITIG VERWENDET

1593   1473   1470   1358

Buchdrucker-marken

BUNGART 1493-1521
TERHOENEN 1470-1482
MOHNKOPF 1487-1520
VON RECHEN 1483-1505

Holzschneider

JAKOB BINKEN 1539
A. VON WORMS 1532
JOST AMMAN UM 1568

Kupferstecher

UNBEKANNTE MEISTER
IM 16. JAHRHUNDERT

Malersignaturen

DÜRER 1471-1528
CRANACH 1472-1553
REMBRANDT 1606-96
MENZEL 1815-1905
HOFER 1878-1955

Bildhauer-signaturen

MICHELANGELO
1475-1564
MAILLOL 1861-1944
SCHARFF 1887-1955
MARKS 1889
KOLBE 1877-1947

Christliche Zeichen

Runenförmige Zeichen gibt es so unzählige, daß trotz
unerschöpflicher Phantasie viele gleiche Formen haben.

97

DIE STAMMTAFEL

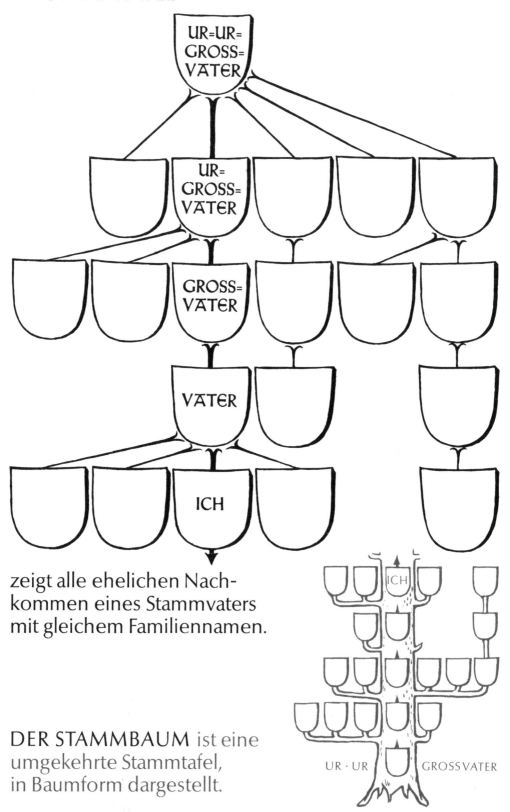

UR=UR=GROSS=VÄTER

UR=GROSS=VÄTER

GROSS=VÄTER

VÄTER

ICH

zeigt alle ehelichen Nachkommen eines Stammvaters
mit gleichem Familiennamen.

DER STAMMBAUM ist eine
umgekehrte Stammtafel,
in Baumform dargestellt.

ICH

UR · UR   GROSSVATER

98

DIE AHNENTAFEL

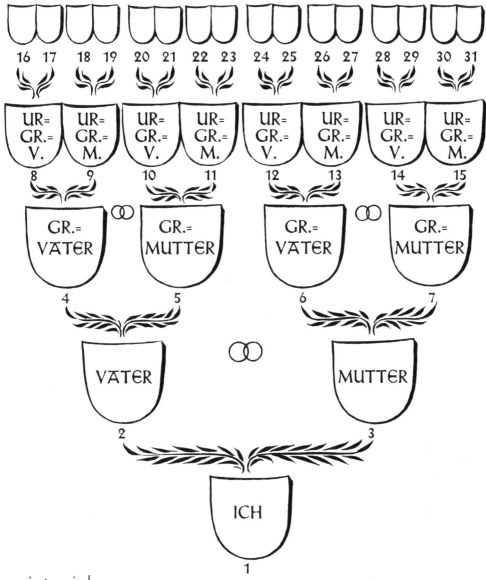

zeigt mich
und meine Ahnen in Generationsfolge,
meine Blutzusammensetzung.
Die Aufstellung einer Ahnentafel ist als Grundlage für die
Ahnenforschung notwendig.

ABKÜRZUNGSZEICHEN
für: ✳ geboren   ∿ getauft   ✝ gestorben   ⚔ gefallen
▭ begraben   ⚭ getraut   ⚮ geschieden

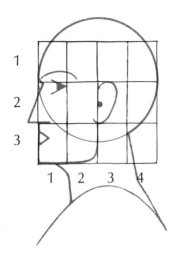

Einfacher Aufriß des Kopfes und der Sitz des Kopfes im Helm.

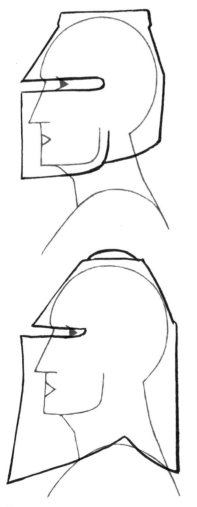

Der Topfhelm geht bis zum Kinn.

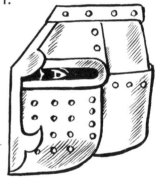

Der Kübelhelm sitzt auf der Schulter.

ZEICHNEN DES BÜGELHELMES

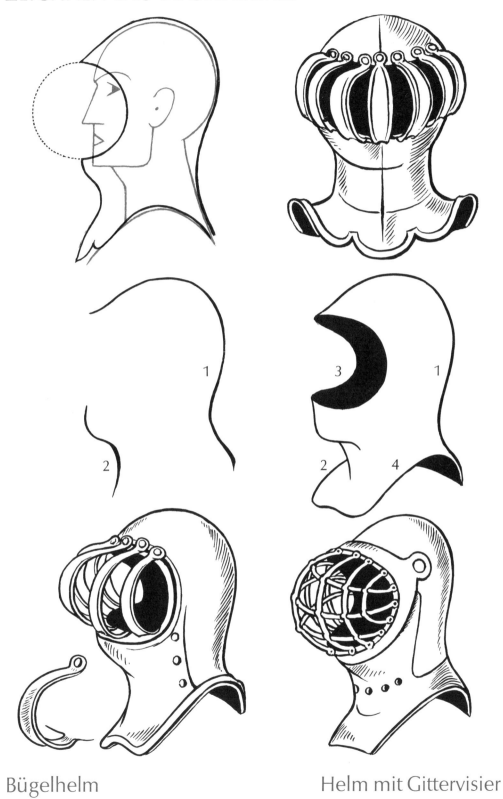

Bügelhelm

Helm mit Gittervisier

ZEICHNEN DES STECHHELMES

Der Stechhelm ist ein geschlossener Helm und ist nicht zu öffnen.
Der Helmhals ist so weit,
daß der Helm über den Kopf
gestülpt werden kann.
Der Stechhelm sitzt auf der Schulter.

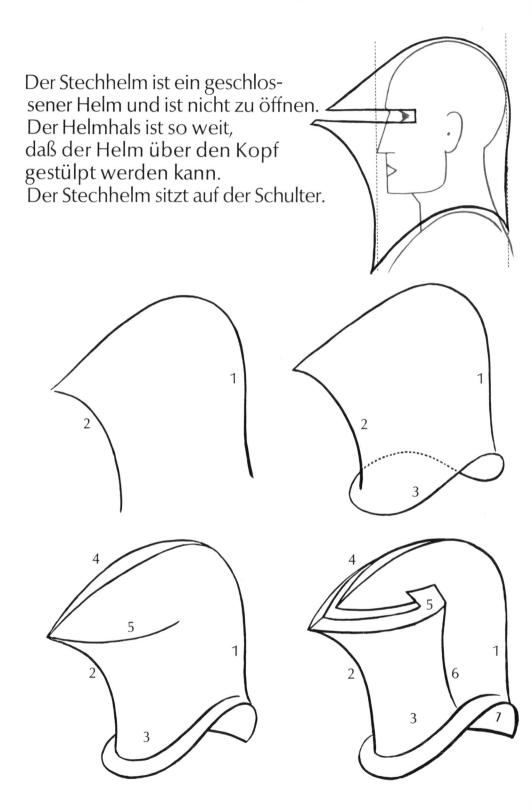

ZEICHNEN DES STECHHELMES

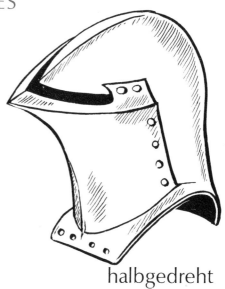

halbgedreht

Seitenansicht   Vorderansicht

Die Helmteile
sind fest
miteinander
vernietet

103

EIN WAPPEN AUFREISSEN einfach gemacht.
Die Größenverhältnisse sollten den getragenen Waffen entsprechen.

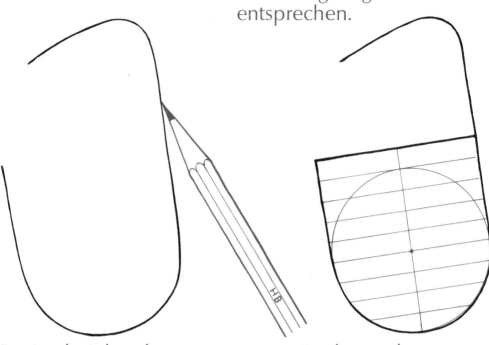

Beginn bei der oberen Helmlinie

Festlegen der Schildhöhe

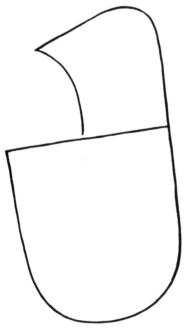

vordere Helmkante

Die Plastik bei Schild und Helm beginnt

DER STECHHELM AUF DEM SCHILD IN SEITEN- UND VORDERANSICHT GEZEICHNET

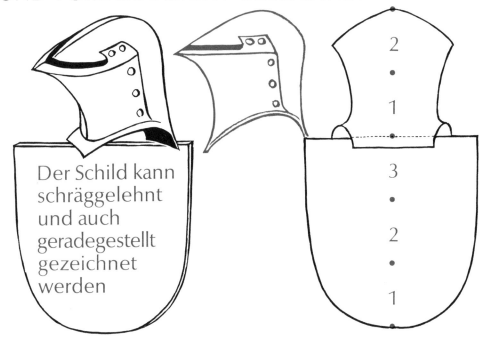

Der Schild kann schräggelehnt und auch geradegestellt gezeichnet werden

2
•
1
3
•
2
•
1

Helmkonstruktion beendet

Stechhelm Vorderansicht

Senkrechte = axiale Anordnung

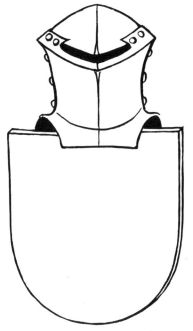

Der Helmkörper entsteht

Die Helmkonstruktion muß fast einer Werkzeichnung gleichen

105

Der Helm sitzt immer fest auf dem oberen Schildrand

Der Helm darf nicht nur mit der Spitze auf dem Schildrand stehen

Der Helm über dem Schildrand schwebend, ist heraldisch falsch

ebenso bei der Vorderstellung des Helmes

HERALDISCHE FEHLER beim
Aufreißen von Wappen

Wappen mit Schild, Helm und Helmdecke ohne Helmzier sind unheraldisch

Wappen mit Schild, Helm und Helmzier ohne Helmdecke sind heraldisch falsch

Helme sollten nie mit verengtem Helmhals gezeigt werden

ein zu kleiner Helm mit Helmzier ist, bei Verwendung nur eines Helmes auf dem Schild heraldisch falsch

Diese heraldischen Fehler sind bei den historischen Wappen oft zu finden. Die Größen der Teile eines Wappens sollten den wirklich getragenen Waffen entsprechen.

STELLUNG DER HELMFIGUR ZUM HELM

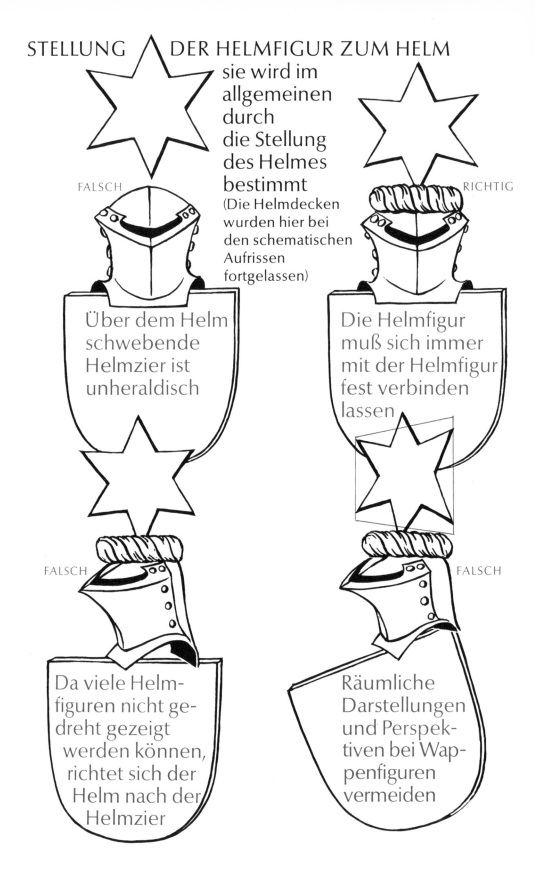

sie wird im allgemeinen durch die Stellung des Helmes bestimmt
(Die Helmdecken wurden hier bei den schematischen Aufrissen fortgelassen)

FALSCH

Über dem Helm schwebende Helmzier ist unheraldisch

RICHTIG

Die Helmfigur muß sich immer mit der Helmfigur fest verbinden lassen

FALSCH

Da viele Helm- figuren nicht ge- dreht gezeigt werden können, richtet sich der Helm nach der Helmzier

FALSCH

Räumliche Darstellungen und Perspek- tiven bei Wap- penfiguren vermeiden

STELLUNG
VOM FLUG ALS
HELMFIGUR
ZUM HELM

Schild
geradegestellt,
Helm in der
Vorderansicht
mit offenem
Flug

Schild
geradegestellt,
Helm gedreht
mit geschlosse-
nem Flug

Schild geneigt,
Helm gedreht
Helmfigur =
offener Flug

Wappen nach
links gedreht, zeigt
auch die Schild-
und Helmfigur
ins Spiegelbild
gestellt

Schild
geneigt,
Helm mit
Wulst und
Flügel =
halber Flug

MANN

FRAU

109

STELLUNG VON HELM, HELMDECKE UND DER HELMZIER

Lebewesen im Wappen als natürliche Figur in Vorderansicht dargestellt, wirken unheraldisch. Helm und Helmzier müssen die gleiche Blickrichtung haben.

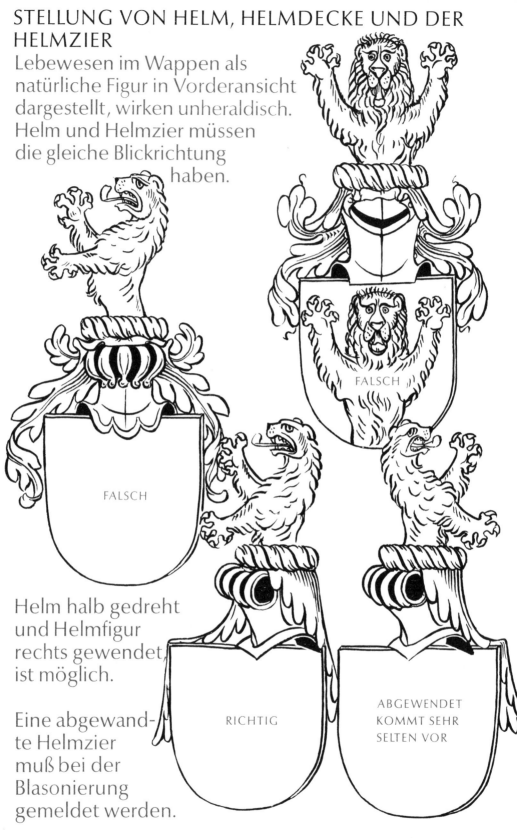

FALSCH

FALSCH

Helm halb gedreht und Helmfigur rechts gewendet ist möglich.

Eine abgewandte Helmzier muß bei der Blasonierung gemeldet werden.

RICHTIG

ABGEWENDET KOMMT SEHR SELTEN VOR

DIE HELMDECKE DURCHGEHEND ODER DURCH WULST VON DER HELMFIGUR GETRENNT

Die Helmfigur geht in die Helmdecke über

Übergang von Helmfigur zur Helmdecke nicht möglich, daher der Wulst

DIE SCHILDSTÄRKE kann angedeutet werden.

RICHTIG = NACH RECHTS

FALSCH = NACH LINKS

RICHTIG

Ein alleinstehendes Wappen schaut nach rechts, zusammengestellte Wappen wenden sich zueinander.

GESTALTUNGSTECHNIK DER HELMDECKE
Die Helmdecke soll gut am Helm sitzen

Helmdecke einseitig

Helmdecke zweiseitig

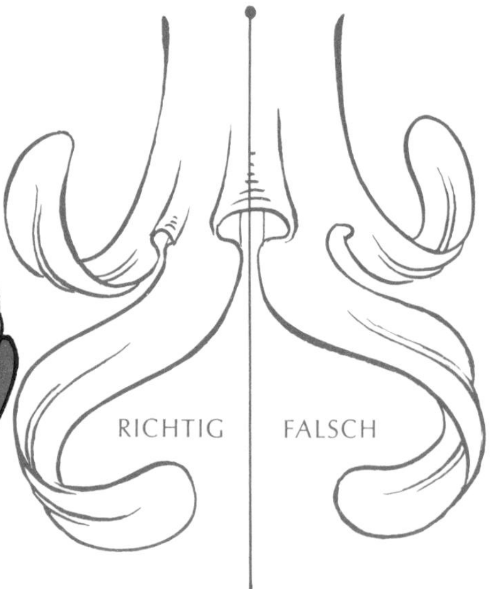

RICHTIG   FALSCH

Nach vorne gedreht   Nach hinten gedreht

Helm mit Helmdecke ohne Helmzier ist unheraldisch.

gezaddelt

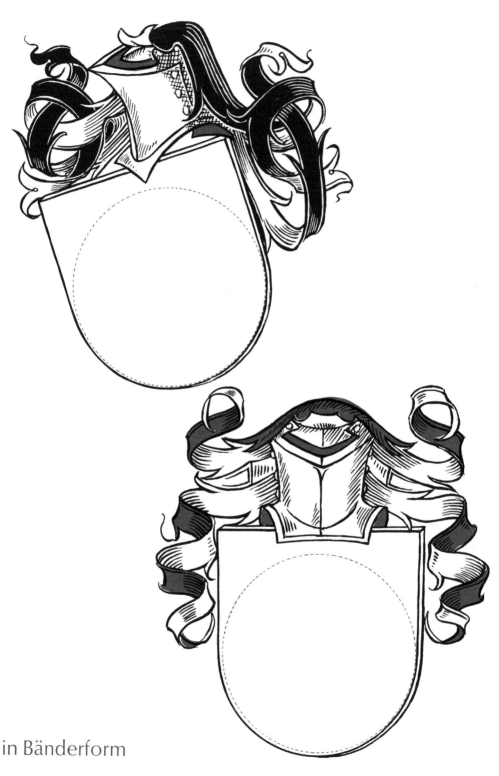

in Bänderform

DIE HELMDECKE Wappenschablonen zum Aufreißen von Wappen

als flatterndes Tuch
und als gerafftes Tuch

AUFREISSEN UND VERGOLDEN EINES WAPPENS

Pergament wird zuerst mit Kleister auf Papier oder Pappe
geklebt. Nach Planpressen und Trocknen wird die Tierhaut mit Alkohol abgerieben, dann mit Bimspulver und
Watte bei kreisförmigem Abreiben gleichmäßig mattiert.
Für Vergoldungen auf Papier Büttenkarton verwenden.
Der Aufriß des Wappens wird auf Transparentpapier ge-
paust und mit Graphitpapier übertragen.
Beim Vergolden mit Muschelgold oder Muschelsilber
wird der Pinsel nicht ins Wasser getaucht, da sich sonst
das Metall und der Kleber ausspülen. Aluminiumbronze
ist lichtecht, Messinggoldbronze sollte nicht Verwendung finden, da diese sich nach einiger Zeit verfärbt.
Muschelgold ist unter Cellon mit Polierstahl polierbar.
Bei Vergoldung mit Vergoldepaste wird die Paste nur ein
wenig verdünnt und mit spitzem Pinsel auf die Flächen
der Zeichnung zuerst dünn aufgetragen, danach mit
dicker Paste zur Plastik gehöht ausgearbeitet.

Das Vergolden
erfolgt immer
vor dem Anlegen
der Farben.

ILLUMINATING
RAISING
PREPARATION
Made in England
WINSOR & NEWTON
LTD
LONDON ENGLAND

ENGLISCHE
VERGOLDEPASTE

Beim plasti-
schen Auftrag
Pinsel nur an
der Spitze mit
Paste füllen.

DIE TECHNIK DES VERGOLDENS MIT PASTE

Vergoldepaste verdünnt, läßt sich mit der Feder schreiben

2. Mit einem Papierröhrchen (13 cm) wird die Vergoldepaste angehaucht.

TRANSFER
DUKATEN
DOPPEL-
GOLD

1. Das Transfergold wird mit dem Haftpapier vor dem Vergolden mit der Schere in passende Stücke zugeschnitten und diese gut griffbereit gelegt.
Beim Vergolden wird das Gold mehrmals angelegt.

VERGOLDEPASTE

3. Die angehauchte Vergoldepaste wird sofort mit Gold belegt und dabei das Papier mit dem Finger fest angedrückt.

4. Danach wird das Gold ohne Papier unter Klarsichtfolie mit Polierstahl gut poliert.

5. Überschüssiges Gold wird mit Watte entfernt. Das polierte Gold kann unter Folie ziseliert werden.

POLIERSTAHL

ACHATSTEIN

GOLD

DIE WAPPENMALEREI, DIE FARBEN UND TECHNIKEN.

Erst nach dem Vergolden werden die Farben-Tinkturen im Wappen angelegt. Empfehlenswerte Farbtöne sind:

Zinnoberrot
Kadmiumrot dunkel
Kobaltblau
Preußischblau
Echtgrün oliv
Kadmiumgelb hell
Schinkelschwarz
Weiß

1. Aquarellfarben sind meistens transparent.
2. Gouache-Farben sind transparent und halbdeckend.
3. Temperafarben sind halbdeckend bis deckend.
4. Ölfarben werden nur bei Malereien auf Holz, Metall und bei Hinterglasmalereien verwendet.
5. Pastose Farben sind für plastische Malerei brauchbar.

DAS MALEN DER WAPPEN.

1. Der Aufriß: das Wappen mit Wappeninhalt wird mit Bleistift in Linien gezeichnet, danach wird vergoldet.
2. Der Lokalfarbton: wird nach dem Vergolden angelegt.
3. Der Schattenton: ergibt Tiefen- und Konturschatten.
4. Der Lichtton: als letzter Farbauftrag bildet die Lichter. Der Lichteinfall kommt stets von heraldisch rechts.

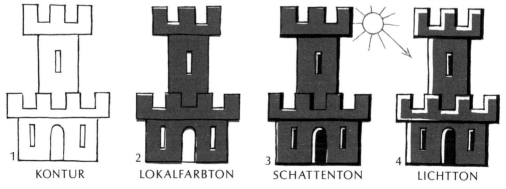

KONTUR   LOKALFARBTON   SCHATTENTON   LICHTTON

DAS ZEICHNEN DER WAPPEN IN SCHWARZ-WEISS

Die Aufrißzeichnung auf gut geleimtes = tintenfestes Papier mit dem Bleistift in Konturen dünn vorzeichnen und mit unverdünnter, schwarzer Tusche nachzeichnen. Danach werden die Schraffierungen gezeichnet.

Grundsätzlich müssen schwarz-weiß aufgerissene Wappen mit den den Farben entsprechenden Schraffierungen gezeigt werden, um heraldische Fehler zu vermeiden.

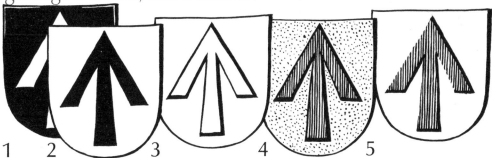

1   2   3   4   5

1 - 2 Bei Wappenfarben Schwarz-Weiß wird Schwarz als Farbe nicht als ▦ Schraffierung gezeichnet.
1 - 2 Sind Schildgrund oder Schildfiguren rot, blau o. grün, sollte man vermeiden, sie als Kontrast schwarz zu färben.
3. Zeigt nur dünne Licht- und dicke Schattenkonturen.
4. Schild und Schildfigur sind mit Konturen und den heraldischen Schraffierungen der Farben versehen.
5. Eine konturarme Darstellung mit Schraffierungen wie sie der „Heraldische Atlas" von Hildebrandt zeigt (S. 56, XXXIII).

GOLD	SILBER	ROT	BLAU	SCHWARZ	GRÜN	PURPUR	FARBE
							FLEISCH- U. NATUR-

DIE FARBEN DES HELMES sind beim gemalten Wappen außen eisenfarben, einer Mischung von Schwarz und ein wenig Blau mit etwas Silberbronze. Schraffuren werden schwarz gezeichnet. Lichttöne silbern oder weiß.

Goldene Helme gibt es nur bei Adelswappen, wenn sie historisch überliefert wurden. Der Helm zeigt innen immer Purpur, bei Schwarz-Weißzeichnungen keine Farbe.

SIEGELFORMEN UND DAS ABSIEGELN

Schon vor ca. 4000 Jahren gab es in Vorderasien Roll- und Ringsiegel. In der Antike gab es geprägte Porträtmünzen und Porträtsiegel. Die Wappensiegel kamen im 11./12. Jahrhundert in Gebrauch. Siegel sind plastische Abdrücke in Wachs oder Siegellack von einem Siegelstock. Prägesiegel auf Papier entstehen in einer Siegelpresse.

1189 - 1218
Reitersiegel

Rundsiegel mit gemeiner Figur ▶

1200
◀Rundsiegel mit Heroldsbild

1281

Gegensiegel als Schildsiegel mit gemeiner Figur ▶

◀ zum Schildsiegel mit Heroldsbild

Schildsiegel
1222

1206

SIEGELFORMEN UND DAS SIEGELBILD

**Rundsiegel
mit Wappenschild
und gemeiner Figur**

1301

**Helmsiegel
mit Helm und Helmzier**

**Wappensiegel
mit Helm,
Helmzier
und
2 Schilden**

1351

**Wappensiegel
mit Voll-
wappen**

1394 - 1448

**Spitzsiegel
(oft bei Damensiegel
verwendet)**

1397

**Rundsiegel
mit Hausmarke**

Plastische Siegel werden in unserer Zeit
nur bei besonderen Anlässen benützt.
Allgemein wird heute eine Urkunde
durch Abdruck des Amtssiegels
mit dem Gummistempel beglaubigt.
Private Personen haben meistens ein
 unheraldisches Monogramm
im Siegelring oder Petschaft,
da sie kein eigenes Wappen führen.

1346

121

DER SIEGELSTOCK UND DAS ABSIEGELN

Die Gravur des Siegelstockes, des Petschafts oder Siegelringes wird vor dem Abdrücken in die erwärmte Siegelmasse mit einer Bürste und Benzin total gereinigt und danach durch einen Borstenpinsel mit Glyzerin oder hellem Maschinenöl hauchdünn isoliert, um ein Ankleben des Siegels zu vermeiden. Bienenwachs naturfarben, gefärbt oder weiß, sowie Siegellack, rot oder schwarz, wird auf kleiner Flamme nicht schäumend erhitzt und langsam fließend in die Siegelkapsel oder auf die Siegelstelle gegossen. Nach kurzem Erstarren wird in die dann noch gutweiche Siegelmasse der Siegelstock fest eingedrückt und nach Erkalten vorsichtig abgehoben.

Bei patiniertem Siegelabdruck den Siegelstock reinigen, mit Reispuder pudern, über kleiner Waschbenzinflamme zart anrußen und abdrücken. Dann den erkalteten Abdruck mit weichem Lappen vorsichtig auswischen. Vorher Probeabdrücke anfertigen.

SIEGELSTOCK

GLYZERIN ODER HELLES MASCHINENÖL

SIEGELRING

DER SIEGELRING. Ein Wappenring sollte nie wie eine Kamee erhaben und seitenrichtig gearbeitet als Zierring getragen werden, sondern muß als Siegelring das Wappen seitenverkehrt und tiefgeschnitten zeigen.

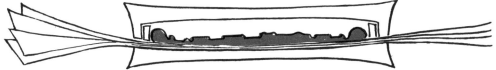

Siegelkapsel aus Edelholz gedrechselt, Bänder aus reiner Naturseide oder Pergament durch Schlitze gezogen.

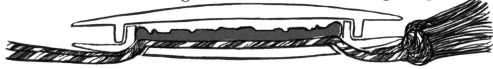

Siegelkapsel aus Edelholz gedrechselt, durchbohrt und mit echter Seidenschnur durchzogen.

Siegelkapsel aus Metall mit Pergamentsiegelbändern.

Papierrosette gefaltet und zugeschnitten.

FEUCHTSIEGEL MIT AUFGELEGTER ROSETTE

Das Feuchtsiegel wird auf Pergament oder Papier mit halber gefeuchteter Oblate und mit aufgelegter Papierrosette in der Prägepresse geprägt. Trockensiegel werden mit der Presse direkt ins Papier geprägt.

FEUCHTSIEGEL AUF BÄNDER FREIHÄNGEND ABGESIEGELT

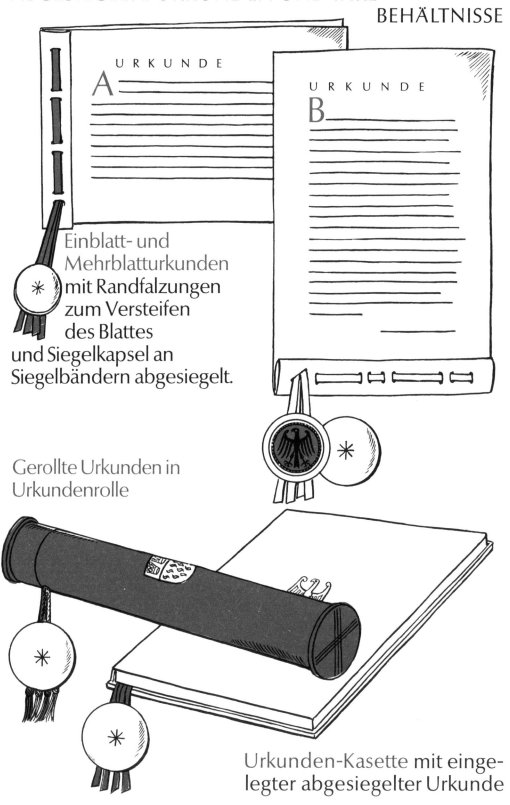

URKUNDE A

URKUNDE B

Einblatt- und Mehrblatturkunden mit Randfalzungen zum Versteifen des Blattes und Siegelkapsel an Siegelbändern abgesiegelt.

Gerollte Urkunden in Urkundenrolle

Urkunden-Kasette mit eingelegter abgesiegelter Urkunde

EINGEHÄNGTE UND EINGEKLEBTE ABGESIEGELTE URKUNDEN

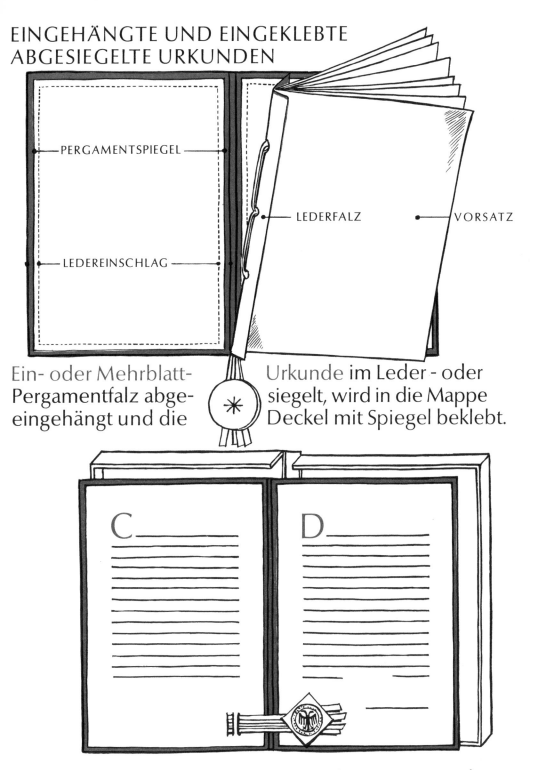

PERGAMENTSPIEGEL

LEDEREINSCHLAG

LEDERFALZ

VORSATZ

Ein- oder Mehrblatt-Pergamentfalz abge-eingehängt und die

Urkunde im Leder - oder siegelt, wird in die Mappe Deckel mit Spiegel beklebt.

C

D

Zwei Urkundenspiegel aus Papier oder Pergament, be-schrieben, links mit Siegelbändern durchzogen, werden in die Mappe eingeklebt und rechtsseitig abgesiegelt.

A B C D E F G H I J K L M N O P Q R S T U V W X Y

INITIAL

ANTIQUA VERSALIEN = lateinische Großbuchstaben.
Groß- und Kleinbuchstaben = Majuskeln und Minuskeln
zusammen verwendet, ergeben die Minuskelschrift.

Z a b c d e f g h i j k
l m n ő p q r s ß t u
v w x y z 1 2 3 4 5 6 7

ANTIQUA-KURSIV GROSSBUCHSTABEN

A B C D E F G H I
J K L M N O P Q R S
T U V W X Y Z 8 9 0

Kursiv = schräggelegt.

126

ANTIQUA-KURSIV-KLEINBUCHSTABEN

ắ a b c d e f g g h h i j
k l m n ő p q r s ß t ủ v
w x y z 1 2 3 4 5 6 7 8 9 0

Alle Kleinbuchstaben sollten sich in einer gemeinsamen Schlüsselform finden lassen.

UNZIALE - GROSSBUCHSTABEN

A B C D E F G H I J
K L M N O P Q R S
T T U V W X Y Z

Unzial-Großbuchstaben können entweder mit gotischen Kleinbuchstaben oder auch mit Kleinbuchstaben einer Antiqua gemischt geschrieben werden.

a b c d e f g h i j k l m
n o p q r s k t u v w x

 GOTISCHE-KLEINBUCHSTABEN y z

INHALT DER BUCHSEITEN

5 Vorwort

7 Vorheraldische Zeit · Die Waffen der Römer · Die Waffen der germanischen Völkergruppen

8 Vorläufer der Kriegsheraldik · Vorheraldische Zeit

9 Ursprung des Wappenwesens · Kriegsheraldik

10 Entwicklung der Wappenkunst · Lanzen oder Stechturnier · Turnierheraldik

11 Die geschmückten Schutzwaffen als Wappen

12 Schwertturnier · Turnierheraldik

13 Die Herolde und die Turniere · Ritter beim Keulenturnier

14 Helmschau

15 Der Herold und die alten Wappenbücher

16 Wappen als Familienzeichen des Adels

17 Wappen als Familienzeichen des Bürgers · Bürgerliche Heraldik

18/19 Stadtsiegel- und Stadtwappen-Entwicklung

20 Wappen des Staates

21 Der Adler als Hoheitszeichen des Staates

22 Der Adelsbrief mit dem Adelswappen und der Wappenbrief für den Bürger · Briefheraldik

23/29 Die Wappenstilformen

23 Frühgotische Wappen

24 Hochgotische Wappen

25 Spätgotische Wappen

26 Frührenaissance-Wappen

27 Renaissance-Wappen

28 Barock-Wappen · Rokoko-Wappen

29 Empire-Wappen · Wappen des 20. Jahrhunderts

30/31 Wappeninhalt beständig · Wappengestaltung im Zeitstil

32 Das Wappen und die Größenverhältnisse der Wappenteile · Der Wappeninhalt · Die Wappenform

33 Die Hauptteile des Wappens · Die Wappenfarben ·

Der Schild · Die Schildfigur · Der Helm · Die Helmdecke · Die Helmkrone und der Wulst · Helmzier
34 Metalle und Farben = Tinkturen
35 Pelzwerk und Damaszierungen ·
Bedeutung der Farben = Farbensymbolik
36/37 Der Schild und seine Formwandlung
38/41 Heroldsbilder = Heroldsstücke
42 Kreuze als Heroldsbilder
43 Kreuze als gemeine Figuren
44/48 Gemeine Figuren · Berufliche Figuren,
natürliche Figuren und Figurenteile ·
Die Beschreibungen der Wappenbilder
49 Adler und Löwe in ihren typischen Stilformen
50/51 Stellung der Schilfiguren im Schild
52/55 Der Helm und seine Formwandlung
52 Glockenhelme · Topfhelme
53 Topfhelme · Kübelhelme
54 Stechhelme
55 Bügelhelme · Helm mit Gittervisier · Geschl. Helm
56/59 Die Helmzier und ihre Formwandlung
60 Anwendung von Rang- und Helmkronen
61 Bedeutung der Münze am Helmhals ·
Der Wulst und seine Anwendung · Der Crest
62 Die Kronen = Rangkronen
63 Kirchliche Heraldik
64/66 Die Helmdecke, ihre Entstehung und Gestaltung
67 Stellung mehrerer Helme auf einem Schild
68 Einfache Wappen · Vollwappen
69 Allianzwappen = Ehewappen ·
Zusammengeschobenes Wappen ·
Zusammengestelltes Wappen
70 Vermehrtes Wappen = Besitz- u. Territorialwappen
71 Großes Wappen = Staatswappen
72/73 Schildhalter
74/75 Wappenbeschreibung (Schema)
76/77 Wappenbeschreibungen = Blasonierungen

78 Die Wappendeutung · Redende Wappen
79 Wappen schwarz-weiß gezeichnet mit den
    Farben darstellenden Schraffierungen
80 Die alten Meister der Wappenkunst
81 Die Wappenbücher des Mittelalters
82 Alte überlieferte Wappen
83 Die Wappenscheidung (Unterscheidung)
84 Gleiche und verschiedene Wappenbilder und
    Namensträger · Beizeichen in einem histo-
    rischen Stammwappen
85 Wappenführung eines ererbten oder aufgefun-
    denen alten Wappens gleichen Namens ·
    Wiedergabe alter Wappen ·
    Vererbung von Familienwappen
86 Wappenfälschungen
87 Wappenverfall und Wappenromantik
88 Namenswandlung und Namensbedeutung ·
    Namenliteratur · Alte Familienwappen
89 Wappenbildsammlungen ·
    Wappenbildbeschreibungen = Blasonierungen
90 Symbole, Zeichen, Wappen, Monogramme
91 Vom Aufreißen und Inhalt eines Wappens ·
    Überprüfung, Eintragung und Veröffentlichung
    von Wappen ·
    Auskunft und Beratung ·
    Wappenforschung und Wappenentwurf ·
    Wappenschutz = Namensschutz
92 Die ältesten Marken (=Mirk) · Runen · Futhark
93 Hausmarken im Siegel - Hausmarken im Wappen
94 Hausmarkenbeschreibung =Terminologie
95/97 Zeichen, Marken und Signete im Gebrauch
98 Die Stammtafel, der Stammbaum
99 Die Ahnentafel · Abkürzungszeichen
100 Zeichnen des Topf- und Kübelhelmes
101 Zeichnen des Bügelhelmes
102/03 Zeichnen des Stechhelmes

104 Ein Wappen aufreißen einfach gemacht
105 Der Stechhelm auf dem Schild in Seiten- und
    Vorderansicht gezeichnet
106 Sitz des Helmes auf dem Schild
107 Heraldische Fehler beim Aufreißen von Wappen
108 Stellung der Helmfigur zum Helm
109 Stellung vom Flug als Helmfigur zum Helm
110 Stellung von Helm, Helmdecke und der Helmzier
111 Die Helmdecke durchgehend oder durch Wulst
    von der Helmfigur getrennt · Die Schildstärke
112 Gestaltungstechnik der Helmdecke
113 Die Helmdecke · Wappenschablonen · gezaddelt
114/15 Die Helmdecke · in Bänderform · als flatterndes
    und als gerafftes Tuch
116 Aufreißen und Vergolden eines Wappens
117 Die Technik des Vergoldens mit Paste
118 Die Wappenmalerei, die Farben und Techniken ·
    Das Malen der Wappen
119 Das Zeichnen der Wappen in schwarz-weiß ·
    Die Farben des Helmes
120 Siegelformen und das Absiegeln
121 Siegelformen und das Siegelbild
122 Der Siegelstock und das Absiegeln · Der Siegelring
123 Die Siegelkapsel, das Feuchtsiegel und
    das Trockensiegel
124 Abgesiegelte Urkunden und ihre Behältnisse
125 Eingehängte und eingeklebte abgesiegelte
    Urkunden
126 Gute Schriften für Urkunden und Wappen ·
    Antiqua-Groß- und Kleinbuchstaben ·
    Antiqua-Kursiv-Großbuchstaben
127 Antiqua-Kursiv-Kleinbuchstaben ·
    Unziale-Großbuchstaben · Gotische
128/31 Inhalt der Buchseiten   Kleinbuchstaben
132/33 Nachwort

NACHWORT

Herrn Professor Dr. Wilhelm Ewald sei dieses Buch gewidmet. Mit seinen Vorlesungen und seinem Buch über „Rheinische Heraldik" wurde er mein Lehrer. Er regte mich an, die Welt und die Schönheit der Wappenkunst zu sehen, zu verstehen, zu erleben und zu lieben. Durch ihn wurde ich auch in die wissenschaftliche Ordnung der Wappenkunde eingeführt.

An den Kölner Werkschulen lehrte ich dann Heraldik und lernte dabei, das edle Ursprüngliche in der Wappenkunst vom Verfall zu unterscheiden und zu trennen.

Bei meinen Vorlesungen und Übungen war ich bemüht, das Wichtige im Ablauf der Historie herauszufinden und zusammenzustellen, um so die vielen und oft eigenwilligen Regeln und Begriffe der Wappenkunde in möglichst kurzgefaßter Form leichter verständlich zu machen.

Mit den Übungen für die Wappenkunst entstanden viele Lehrtafeln, die 1942 im Insel-Verlag bei Herrn Professor Anton Kippenberg als farbiges Insel-Büchlein unter dem Titel „Deutsche Wappenkunst" erschienen sind.

Dieses Buch wurde von mir überarbeitet und erweitert. Es entstand die Ausgabe von 1973 mit dem neuen Titel: „ÜBER DEUTSCHE WAPPENKUNST". Hierfür wurden die Aufzeichnungen aus meinen Vorlesungen verwendet. Als Graphiker und Maler habe ich an Hand historischer Unterlagen über Wappenkunst und Wappenkunde ein Bildbuch geschrieben, gezeichnet und gestaltet, das mit typischen Bildbeispielen und kurzen erläuternden Texten in das Wesentliche der Heraldik einführen soll.

Gleichzeitig möge dieses Buch eine Ergänzung zu den wissenschaftlicher, textreicher gehaltenen heraldischen Handbüchern für die so bildreiche Wappenkunst sein.

Die Namen der Wappenträger von abgebildeten Wappen wurden in diesem Buche nicht genannt, weil sie, soweit sie historisch sind, schon alle veröffentlicht wurden und hier nur als gute und prägnante Beispiele dienen sollen.

Die Wiedergaben der Siegel und historischen Wappen entsprechen nicht immer der Originalgröße.
Auf die Farbenpracht der Wappen mußte verzichtet werden, da dieses Buch sonst in der Herstellung unvergleichlich teurer geworden wäre.

Heinrich Hußmann

133